La falsa sonrisa

mari jungstedt

La falsa sonrisa

Traducción:
CARLOS DEL VALLE

MAEVA

Título original:
DEN MÖRKA ÄNGELN

Diseño e imagen de cubierta:
ALEJANDRO COLUCCI

Fotografía de la autora:
ANNA LENA AHLSTRÖM

1.ª edición: octubre de 2012
2.ª edición: diciembre de 2012

© MARI JUNGSTEDT, 2008
© de la traducción: CARLOS DEL VALLE, 2012
© MAEVA EDICIONES, 2012
Benito Castro, 6
28028 MADRID
emaeva@maeva.es
www.maeva.es

ISBN: 978-84-15532-36-1
Depósito legal: M-31.467-2012

Fotomecánica: Gráficas 4, S. A.
Impresión y encuadernación: Huertas, S. A.
Impreso en España / Printed in Spain

Para Bosse Jungstedt;
querido hermano, siempre estarás en mi corazón

SUECIA

0 km   50   100 km

GEOATLAS
Copyright Graphi-Ogre

NORUEGA

SUECIA

FINLANDIA

Oslo

Helsinki

Estocolmo

Tallín

ESTONIA

Gotska Sandön

Gotemburgo

Fårö

Visby

GOTLAND

Mar Báltico

ÖLAND

Riga

LETONIA

Copenhague

LITUANIA

GOTLAND

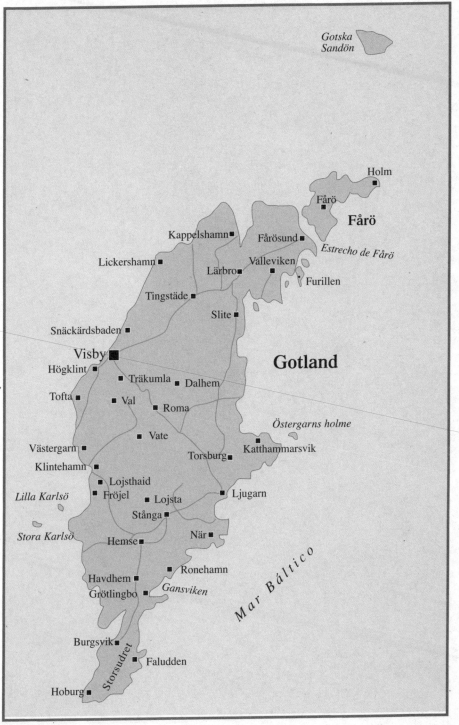

Gotska
Sandön

Holm

Fårö

Fårösund

Estrecho de Fårö

Fårö

Kappelshamn

Valleviken

Lickershamn

Lärbro

Furillen

Tingstäde

Slite

Snäckärdsbaden

Visby

Gotland

Högklint

Träkumla   Dalhem

Tofta

Val

Roma

Vate

Östergarns holme

Västergarn

Torsburg   Katthammarsvik

Klintehamn

Lojsthaid

Lilla Karlsö

Fröjel   Lojsta   Ljugarn

Stånga

Stora Karlsö

När

Hemse

Ronehamn

Havdhem

Grötlingbo   Gansviken

Mar Báltico

Burgsvik

Storsudret

Faludden

Hoburg

Estaba tan guapa allí de pie. Vestía un traje blanco con un cinturón ancho que le ceñía la estrecha cintura. El cabello rubio recogido en un moño. Se mostraba segura con su indumentaria. Sonreía al fotógrafo, ladeaba ligeramente la cabeza. Coqueteaba frente a la cámara como de costumbre. Siempre tan arreglada, con el pelo sujeto con una cinta y su sonrisa deslumbrante. En la cocina friendo salchichas, mientras recogía manzanas en el campo, de camino al coche con los niños. Una fachada. Frágil como el cristal del marco de la fotografía. Él cogió el retrato y lo arrojó contra la pared.

Los pedazos esparcidos por la habitación eran su vida.

Las persianas bajadas impiden el paso al sol primaveral. La habitación se halla en silencio. A lo lejos, el ruido de las puertas de los coches al cerrarse de un portazo, ladridos de perros. Sirenas. La apagada conversación de los transeúntes al pasar, alguna risa que otra. El rumor de la calle, el rumor de la vida. Todo es ajeno a nosotros. Mi relato se esboza ante mis ojos. A medida que sus trazos se definen, mi mirada se torna compasiva. Ninguno de nosotros dice nada.

He vuelto a narrar un recuerdo de la infancia. Nada extraordinario, en realidad. Apenas un retazo de lo cotidiano. A pesar de que han transcurrido más de veinticinco años, la imagen aún se mantiene nítida en mi mente.

Tenía siete años cuando decidí sorprender a mi madre llevándole el desayuno a la cama. La idea se me ocurrió casi en el mismo instante en que me desperté y vi que todos dormían. Me entusiasmó. Mamá volvería a ponerse contenta; había estado tan triste el día anterior… Sentada en el sofá, llorando. Mucho tiempo. Sin parar. Yo no sabía qué le apenaba tanto. Mamá solía estar así. Lloraba y fumaba, fumaba y lloraba. Luego se pasó toda la tarde hablando por teléfono, y después nos mandó a la cama. No pude hacer nada. Mis hermanos, tampoco. También nos pusimos tristes. Pero al despertarme vi una oportunidad. Podía prepararle el desayuno.

Me levanté emocionado y fui de puntillas hasta el cuarto de baño. Confiaba en que nadie se despertara. Quería hacerlo yo solo, sin la participación de mis hermanos. Era a mí a quien daría

11

las gracias; me abrazaría rebosante de felicidad cuando entrara en su dormitorio con la bandeja. Y entonces todo se arreglaría.

Bajé la escalera con cuidado. Recuerdo cómo cerraba los ojos a cada crujido, aterrado ante la posibilidad de despertarla. En la cocina cogí un tazón para los cereales y una cuchara. Pero el paquete estaba en lo más alto de la despensa. No podía alcanzarlo. Cogí una silla de la mesa de la cocina. ¡Pesaba un montón! La arrastré con mucho esfuerzo por la estrecha cocina y la coloqué junto a la despensa. Me subí y me estiré para llegar al paquete. Satisfecho, rellené el plato y vertí la leche justa. Mamá era estricta con ese detalle. Tenía que ser la cantidad exacta. Ni más, ni menos. Solía tomarla con azúcar. ¿Dónde estaba el azúcar? Allí, detrás de los copos de avena. ¡Qué bien! Agarré la cuchara y la rellené con lo que consideré una cantidad suficiente, aunque no demasiada. Mamá se quejaba cuando estaba excesivamente dulce, se lo había oído decir muchas veces.

¿Qué más faltaba? Sí, claro, las rebanadas de pan. Abrí la panera. Había pan de centeno. Skogaholm. Ya sabía leer. Mis hermanos mayores me habían enseñado. Encontré el cuchillo del pan en un cajón; ahora llegaba lo más difícil: cortar dos rebanadas. Serían suficientes y si fueran demasiadas, mamá no tendría que comérselas. Era mayor y las reglas de los niños no valían para los mayores. Lo malo era que ella odiaba las rebanadas demasiado gruesas; tenían que ser finas. Corté con el cuchillo, se torció mucho. Gruesa por arriba y delgada por abajo. Contemplé con preocupación la primera rebanada. No había quedado bien. No me atrevía a tirarla pues estaba seguro de que mamá se enfadaría. Solía quejarse de lo caro que era todo. El queso valía tanto que los niños solo podíamos tomar una loncha por rebanada. Ella siempre comía dos. Y si yo quería beber un vaso más de leche, solía poner tal cara que dejaba de insistir. Indeciso, sostuve el trozo de pan en la mano. ¿Qué podía hacer con él? No valdría. Mis esfuerzos resultarían vanos y ella no se pondría contenta con el desayuno. Todo por culpa de esa rebanada. Si no hubiera salido tan gruesa, todo habría ido bien. Ya no podría experimentar esa expresión de total satisfacción reflejada en su rostro que tanto había deseado. Aparecería una arruga en su ceño o una mueca de desagrado en la comisura de sus labios. Todo a causa de esa maldita rebanada de pan.

Eché un vistazo al recibidor y escuché si se oía algo; los demás seguían durmiendo. Me apresuré a zamparme la rebanada para hacerla desaparecer. Lo volví a intentar y esta vez tuve más suerte. La mantequilla estaba dura y se apelmazaba al untarla. Oculté los grumos bajo el queso. Entonces tuve una idea. ¿Y si me atrevía a colocar tres lonchas en lugar de las dos habituales? ¿Se pondría aún más contenta? Pero al verlas una encima de la otra volvió a apoderarse de mí la incertidumbre. Parecían demasiadas. ¿Y si se enfadaba conmigo por despilfarrar? No me atreví a correr el riesgo y también me comí la loncha de más. Observé lo que había hecho. Ahora casi estaba listo.

En un armario encontré una bandeja y un plato. Mamá odiaba poner el pan directamente encima de la mesa. Una vez colocado todo en la bandeja me pareció que faltaba algo.

Claro, ¿cómo podía ser tan tonto? El café. No debía olvidarme del café, era lo más importante de todo. Mamá siempre tomaba café por la mañana, si no, como ella decía, no se sentía persona. ¡Y una servilleta! Tenía que haber algo con lo que secarse la boca, se enfadaba cuando no había papel en la mesa. Me apresuré a ir al comedor y arranqué un pedazo de papel de cocina. Quedó un poco roto. Lo volví a intentar y logré arrancar un pedazo entero. El roto lo estrujé y lo tiré a la basura. Por último, el café. Volví a sentirme inseguro. ¿Cómo se preparaba? Había visto cómo lo hacía ella. Y que utilizaba el termo. Teníamos uno rojo de plástico con el pitorro y la tapa negros. Necesitaba agua y café en polvo. Había un bote de hojalata en la despensa. Cogí el bote, pero me sentí indeciso. ¿Cómo se metía el café en el termo? Y además, tenía que hervir. Me di la vuelta y observé la cocina. Si se accionaban los mandos se calentaba. Al menos, eso lo sabía. Me concentré. Era lo único que me faltaba, tenía que poder hacerlo. Así mamá tendría su desayuno. Y volvería a estar contenta. Elegí uno al azar y lo giré hasta el seis. El número más alto debería significar que calentaba más. Esperé un rato con la mano sobre el quemador. El más cercano empezó a calentarse. ¡Hurra! Volví a emocionarme, ahora sí que me hallaba cerca de la meta. Cogí el termo y abrí el grifo. De nuevo tuve que subirme a la silla para poder llenarlo hasta la mitad. Me pareció suficiente. Cogí una taza medidora y vertí unas cuantas en el agua. Si lo ponía sobre el quemador debería hervir. Orgulloso de mis recursos coloqué el termo sobre el quemador caliente. Justo en ese momento oí cómo alguien iba al cuarto de baño de arriba. ¡Maldición! ¡Ojalá no fuera ella la que se había despertado!

De repente empezó a salir humo. La humareda apestaba. Algo había salido mal. Al momento siguiente oí a mamá bajar a toda prisa por las escaleras. El corazón me dio un vuelco.

—¿Qué diablos haces? —gritó, y apartó el termo de la cocina—. ¿Eres tonto? ¿Quieres quemar la casa?

La cocina se había llenado de humo. Mamá estaba crispada, vi su mirada a través de la cortina de humo. Gruñía y gritaba. Oí que mis hermanos también bajaban a la cocina. Mi hermana empezó a berrear.

—Yo sólo quería… —balbucí, dándome cuenta de que me temblaba el labio inferior. Paralizado a causa del miedo.

—¡Fuera! —vociferó—. ¡Fuera de aquí! ¡Maldito niño! —Sacudió la mano libre, mientras sostenía el termo con la otra—. Has destrozado el termo; ¿tienes idea de cuánto cuesta? Ahora tendré que comprar uno nuevo. ¡Y no tengo dinero!

La voz acabó en falsete y rompió a llorar. Escapé escaleras arriba muerto de miedo y cerré la puerta de mi habitación. Deseé poder cerrarla con pestillo. Deseé poder salir corriendo de allí y no regresar nunca más. Me arrebujé bajo la manta como un animal asustado: me temblaba todo el cuerpo. Permanecí así durante muchas horas. Sin que ella viniera.

Y el agujero en mi interior creció.

La inauguración del nuevo palacio de congresos de Visby fue uno de los momentos más importantes del año. El nuevo edificio situaría a Gotland en el mapa del mundo de los negocios y ayudaría a atraer a más visitantes a la isla durante todo el año, para no limitarse solo a los turistas estivales en busca de sol. Los invitados se apresuraban hacia la entrada principal, encorvados bajo el caprichoso vendaval de abril. La orquesta de viento de Visby tocaba con pasión en medio del vendaval, los peinados se alborotaban, las corbatas revoloteaban como banderines desde los cuellos bien afeitados, y las narices recién empolvadas enrojecían.

El viento también resultaba un problema para el grupo de fotógrafos que se apiñaba junto a la alfombra roja.

Había acudido toda la prensa local. Hasta los periódicos sensacionalistas de la capital habían enviado a un par de fotógrafos famosos del continente para cubrir el evento.

El edificio resplandecía bajo el sol vespertino. Suntuoso, moderno, de cristal y hormigón, se situaba en el centro, justo al otro lado de la muralla, en el reverdecido parque Almedalen, a un tiro de piedra del mar. Según algunos, se trataba de una innecesaria obra faraónica que se comía todo el dinero de los contribuyentes. Otros alegaban que era un proyecto de futuro que beneficiaría a Gotland.

A la mayor parte de los rostros sumidos en la marea de gente la conocían bien los isleños: allí estaban los políticos municipales, los empresarios de renombre de la isla, la gobernadora y el obispo, la élite cultural y los veraneantes que habían volado desde el continente para participar en la celebración. El número de famosos y millonarios con casa de verano en Gotland crecía cada año.

En la entrada, dando la bienvenida a los invitados, se encontraba Viktor Algård, el anfitrión de la noche y organizador de la fiesta, junto a la gobernadora y el alcalde. Se saludaban con besos en las mejillas que resonaban en el aire, y se intercambiaban frases de cortesía.

El vestíbulo se llenó rápidamente y un alegre murmullo se apoderó de él. El techo tenía una altura de al menos diez metros y la decoración era de auténtico estilo isleño, en colores claros. Jóvenes camareras se movían ágilmente entre los invitados sirviendo canapés y Moët&Chandon bien frío. Esmerados arreglos florales de lilas blancas se disponían en floreros de cristal y había velas en las mesas de apoyo repartidas por la sala. Las vistas a través de los enormes ventanales eran magníficas. Visby mostraba su lado más cautivador: Almedalen y su césped verde, el estanque con los patos y el fluir de la fuente. La muralla en parte cubierta de hiedra, y la aglomeración de casas medievales en su interior. Los restos de La Trinidad y San Lars, del siglo XIII, y la catedral, la joya de la Corona, con sus tres agujas negras elevándose hacia el firmamento. Al otro lado se extendía un mar infinito. La ubicación del palacio de congresos no podía ser mejor.

Una vez hubieron llegado todos los invitados, la gobernadora subió a un estrado situado en una esquina del vestíbulo. Se trataba de una mujer madura sofisticada, vestida de negro, con falda larga y camisa de seda. Tenía el cabello rubio corto y lucía un elegante peinado.

—Bienvenidos —comenzó, y dirigió su mirada a los engalanados oyentes—. Es un verdadero honor poder inaugurar en Visby, por fin, nuestro flamante palacio de congresos. El proyecto ha tardado cinco años y éramos muchos los que deseábamos ver el resultado. ¡Y vaya resultado!

Hizo un movimiento circular con la mano hacia la sala. Pausa artística. Como si deseara concederles tiempo para embeberse realmente de la atmósfera y el buen gusto de la decoración. El suelo gris claro era de piedra caliza isleña de Slite, las paredes estaban adornadas de contrachapado de arce y lana de borra de ovejas gocianas decoraba el largo mostrador de la recepción. Una amplia e iluminada escalera de cerezo americano conducía a la planta superior donde se serviría la cena y se celebraría el baile.

–Claro que ha habido escépticos –prosiguió la gobernadora–. Es normal que surja oposición cuando se plantean cambios. Pero creo que la mayoría comprenderá el activo que el palacio de congresos supondrá para Gotland.

Carraspeó. Lo que acababa de decir era una verdad a medias. Las protestas en contra de la construcción fueron numerosas y enérgicas. Le sorprendió que la oposición fuera tan contundente. Desde que el proyecto se dio a conocer una interminable oleada de quejas llegó al ayuntamiento y a la diputación. El debate se fue calentando en los periódicos. Se temía que los exiguos impuestos de los isleños desaparecieran en una innecesaria construcción de lujo en lugar de dedicarse a la educación infantil y al cuidado de los mayores. Los isleños recordaban recientes inversiones que habían acabado en catástrofe. Se temía que ocurriera un nuevo caso Snäck, la construcción de un hotel y una urbanización justo al norte de la ciudad que se fueron a pique y que habían costado al ayuntamiento unos cuantos millones de coronas. Cuando el proyecto fracasó, el ayuntamiento se vio obligado a venderlo a un contratista local por una mísera corona. Lo último que deseaba la población era que se repitiera el fiasco.

Por no hablar de la oposición que levantó el emplazamiento del palacio de congresos. El edificio se alzaba en medio de Almedalen, el querido parque de los isleños, y además, tapaba la vista del mar.

Los activistas medioambientales se manifestaron mientras duró la construcción atándose con cadenas. Estas acciones causaron retrasos, lo que ocasionó el encarecimiento de la obra. Ahora por fin, a pesar de todo, estaba concluida. La gobernadora se sentía contenta de que todo hubiera acabado.

—Es difícil hacerse una idea de lo que el palacio de congresos supondrá en el futuro, pero es un paso en la buena dirección para el crecimiento de Gotland. Y se ajusta al favorable desarrollo que ha tenido lugar en la isla durante estos últimos años.

Murmullo complacido del público y cabeceos de asentimiento.

—La universidad crece cada año y hemos conseguido atraer a más estudiantes —continuó—. Nuestros jóvenes ya no necesitan abandonar la isla e irse a estudiar al continente. Algunas oficinas de la Administración se han trasladado aquí. Creo que a Gotland le espera un futuro prometedor. Los empresarios confían en el futuro y el turismo ha registrado un aumento de cuarenta mil pernoctaciones en establecimientos turísticos respecto al año pasado. Brindemos por este progreso, así como por nuestro nuevo e importante activo para promover a Gotland: ¡Salud! ¡Por el palacio de congresos!

A la gobernadora le tembló la voz y le brillaron los ojos. Su emoción era patente.

Todos los allí reunidos alzaron las copas.

Viktor Algård se sirvió una cerveza Ramlösa y miró alrededor. Hasta el momento la inauguración había transcurrido según los planes. De hecho no había razón alguna para preocuparse. Había organizado tantas fiestas en su vida que formaba parte de su rutina. Era el Bindefeld de Gotland.* Estaba algo mayor, tenía más barriga y había perdido contactos. Pero no importaba. Viktor Algård vestía un elegante traje negro de corte moderno. Una camisa lila de seda rompía el conjunto con estilo y le daba un toque dandi. Pasaba de los cincuenta, pero se podía decir que se mantenía bien. Apenas tenía arrugas en el rostro expresivo y amable, excepto cuando reía, cosa que hacía con frecuencia. Aún conservaba una espesa melena oscura y esa noche la llevaba peinada hacia atrás. Le llegaba hasta los hombros. Tenía la piel aceitunada, una herencia de su padre tunecino, al igual que los ojos negros y los labios carnosos. Se sentía a gusto consigo mismo y con su apariencia.

Observó satisfecho el salón de banquetes del hipermoderno edificio con espacio para mil invitados.

Organizar una inauguración tenía algo de especial, ser el primero de todos en la arena. Había planeado el evento minuciosamente a lo largo de meses. Había pulido los detalles hasta el último momento.

Alzó la mano para saludar a la gobernadora, que esbozó una sonrisa. Entendía que se sintiera orgullosa. El único contratiempo

---

* Michael Bindefeld es un conocido organizador de eventos sueco. (N. del T.)

o el viento, que los obligó a celebrar el brindis de bienvenida en el interior. Pero qué importaba eso cuando el champán era caro y las copas estaban relucientes.

Subió la escalera que conducía a la cocina para comprobar que todo iba como debía. Allí dentro la actividad era frenética, ocho cocineros trabajaban para que los platos quedaran perfectos. Estaban preparando el primero. El menú consistía en salmón y *parfait* de limón con queso feta y crema de rúcula, a continuación rosbif de cordero marinado en mostaza con verduras gratinadas y de postre, *pannacotta* de *nougat* con frambuesas marinadas en cordial de flor de saúco. Isleño y sofisticado. Antes de regresar al bar les lanzó unos gritos de ánimo a los cocineros que sudaban frente a los fogones. Constató satisfecho que las copas se rellenaban con rapidez. Al comienzo era importante no escatimar con la bebida, pues había que poner a tono a los invitados tan pronto como fuera posible. Los manteles de algodón estaban perfectos y las camareras vestidas de blanco se afanaban en encender las velas de los candelabros de plata. Se presentaba una noche redonda.

El vestíbulo estaba en pleno revuelo. A juzgar por las risas y el alborozo, los invitados se estaban animando.

Algo más allá se encontraba su amada entablando una amena conversación con dos de los artistas más famosos de la isla. Embutida en su vestido de color rojo fuego y con el cabello platino estilo paje, se la distinguía con facilidad del resto de invitados. Era casi como una princesa, a no ser por los modales. Se reía a carcajadas y subrayaba las palabras con ademanes exagerados mientras relataba alguna de sus innumerables anécdotas. Ambos oyentes, pegados a ella, seguían la conversación extasiados.

Esbozó una sonrisa y le lanzó una mirada enamorada cuando pasó veloz junto a ella.

Habían comenzado la relación hacía dos meses. Sucedió durante la inauguración de una exposición que él había organizado. Ella deambulaba entre los cuadros, entablaron conversación y resultó tan agradable que se fueron juntos. Caminaron junto al mar y acabaron yendo a cenar. Cuando se separaron por la noche él se había enamorado.

De momento nadie conocía su relación. Habían decidido esperar para mostrar su amor abiertamente. Visby era tan pequeña, todo se comentaba y su divorcio de Elisabeth aún no estaba resuelto. No deseaba hacerle más daño del necesario. Elisabeth era tan débil, tan frágil en todos los sentidos…

Al contrario que su amada.

En realidad a Knutas le desagradaban ese tipo de eventos. Conversaciones frívolas y una zalamería efusiva que resultaba todo menos real. En la mayoría de los casos no mantenía una conversación interesante en toda la noche. Line le convencía para que fuera. Knutas era comisario jefe de homicidios desde hacía casi veinte años y el puesto estaba sujeto a ciertas obligaciones. Había cosas a las que uno no podía negarse. La inauguración del nuevo palacio de congresos era importante para la isla. Además, a Line le gustaba salir. Knutas pensaba que su mujer era un genio social. Podía hablar de una forma natural y comprometida con quien fuera que se cruzara en su camino y conseguía entablar conversaciones fluidas con el más modesto funcionario del ayuntamiento o con el cantante de pop más famoso del país. No entendía cómo lo hacía.

Esa noche vestía una túnica verde hierba con flores de seda bordadas y había dejado que su larga melena pelirroja le colgara hasta la cintura como si fuera una náyade. Sus pálidos brazos pecosos gesticulaban animados desde el otro lado de la larga mesa a la que estaba sentada, en diagonal a él. No podía dejar de sonreír.

Por una vez había tenido suerte con la colocación a la mesa. Estaba sentado junto a Erika Smittenberg, la encantadora mujer del fiscal jefe. Una tonadillera de Ljugarn que escribía sus propias canciones y baladas y solía actuar en centros sociales y pequeños bares de la isla. A Knutas siempre le había fascinado el matrimonio Smittenberg, eran tan distintos que resultaba cómico. El fiscal Birger Smittenberg era alto, agradable en tono mesurado, pero aburrido y correcto en todas las situaciones. Su mujer, en cambio, era bajita y rellena, y tenía una risa estridente que hacía vibrar las copas de la mesa y que los invitados sorprendidos volvieran la cabeza continuamente hacia ellos. Knutas se lo pasaba en grande en su compañía y hablaban de todo menos de su trabajo, lo que él apreciaba. El tema de conversación al que dedicaron más tiempo fue el golf, uno de los grandes intereses del policía. La isla era un lugar perfecto para practicarlo gracias a sus espacios abiertos y su clima templado. Erika le contó unas historias hilarantes sobre sus penurias cuando comenzó a jugar unos años atrás.

La primavera había llegado y la hierba estaba verde. El sol brillaba cada día más y calentaba la tierra y las gélidas almas invernales. Uno de estos días tendría que ir a Kronoholmen, su campo de golf favorito. Hacía mucho tiempo que no jugaba. Quizá mañana, pensó. Si para el viento. ¡Ojalá pudieran acompañarle sus hijos! Le parecía que según se hacían mayores, la relación con ellos empeoraba. Los gemelos pronto cumplirían diecisiete años y estaban en el primer curso de bachillerato. Era increíble lo rápido que pasaba el tiempo.

De pronto, sintió cómo Erika, jugueteando, le daba un empujón en el costado.

—¿Qué clase de compañía eres? —Puso morritos, aparentando disgusto, pero en su rostro se dibujó una sonrisa—. ¿Es que estás soñando?

—Disculpa —respondió. Esbozó una sonrisa y alzó la copa—. Toda esta conversación sobre el golf me ha hecho añorar Kronoholmen. ¡Salud!

La pista de baile pronto se llenó de gente que seguía los tonos románticos de la orquesta. Ya habían tomado café y se había abierto el bar. La fiesta seguía su curso, constató Viktor Algård. Había superado el momento más delicado de la noche. Servir una cena para más de quinientas personas era siempre una empresa exigente, pero el servicio había funcionado de maravilla. Ahora los invitados comenzaban a abandonar los sitios asignados a la mesa para buscar la compañía deseada. Unos se dirigían a la pista de baile, otros se acomodaban en los sofás que bordeaban la sala.

Viktor Algård intercambió unas palabras con el personal de servicio y se aseguró de que todo transcurría según lo previsto. Pronto podría tomarse una pausa bien merecida. Buscó a su amada con la mirada, pero no pudo localizarla entre la muchedumbre. Deseaba estar un rato a solas con ella. Si es que podían escabullirse sin ser vistos. Lo más probable era que su compañero de mesa la hubiera invitado a bailar. Echó un vistazo al reloj. Eran las doce menos cuarto. La cena se había prolongado más de la cuenta, lo cual era una buena señal. Desde el primer momento el ambiente en torno a las mesas fue de lo más animado y las personas tuvieron mucho de qué hablar. La sorpresa de la noche aparecería en escena a las doce en punto, así que lo mejor que podía hacer era esperar a que empezara el show. Le dio un sorbo al agua mineral y dejó volar su mente. El rostro de su mujer apareció ante sus ojos. La mirada acusadora. Como si ella supiera. No mostraba sorpresa. Su matrimonio llevaba en punto muerto desde hacía tiempo, vivían juntos aunque en la actualidad sus caminos raramente se cruzaban. Residían en un lugar apartado, en una gran casa de campo en Hamra, en Storsudret. Elisabeth se dedicaba a tejer en el establo que había acondicionado como estudio. Tenía la sensación de que ella no lo necesitaba. Él se concentraba en el trabajo y en su rica vida social. Había hecho muchos amigos durante todos estos años. A Elisabeth no le gustaban las fiestas. Era una solitaria, aborrecía eventos como ese. La migraña que la había aquejado esa tarde era seguramente una excusa para no tener que asistir. Su recurso eficaz cuando surgía algo que no le gustaba. Nadie podía cuestionarla mientras yacía en la cama, el dormitorio a oscuras y una toalla sobre la frente. De hecho para él era un alivio, pues así podía escabullirse a casa de su amada con toda tranquilidad, en lugar de dormir en la cabaña de invitados.

Cuando ese enamoramiento subversivo lo atrapó, se hizo evidente la monotonía de su matrimonio. La mujer de sus sueños entró en su vida y puso patas arriba su existencia. Lo absorbía. Entonces comprendió por entero todo lo que había echado de menos. La pasión. El deseo. El interés. Disfrutar de la compañía de alguien. La unión. El sentimiento de pareja.

Los niños se habían mudado hacía tiempo, vivían en el continente, tenían su propia vida. Anhelaba ser libre y no tener que andar más con tapujos.

Sus reflexiones eran constantemente interrumpidas por personas que deseaban conversar, agradecerle la bonita fiesta o solo estrecharle la mano. Él sonreía a un lado y a otro, contento de que se sintieran satisfechos.

Entonces la música paró y fue sustituida por un redoble de tambores. Se apagaron las luces y unos focos iluminaron el escenario. Hacia allí se dirigió la atención de todos los presentes. Había llegado el momento de la sorpresa de la noche.

Cuando Afrodite, el conocido grupo musical, apareció en el escenario el público estalló en aplausos. Las bellas y atractivas Kayo Shekoni, Gladys del Pilar y Blossom Tainton no solo cantaban como diosas del *soul* sino que también poseían un entusiasmo, un humor y un encanto que compartían con generosidad.

Viktor Algård pensó que había pocos artistas en Suecia con esa *star quality* y se sintió satisfecho de haber conseguido su asistencia. Se dejó llevar por el grupo que hacía cinco años se había ganado el corazón de los suecos al cosechar una gran victoria en el festival de Eurovisión. De repente, sintió cómo alguien le cogía del brazo.

—¡Hola! ¿Qué tal?

Parecía contenta y acalorada, con el rostro brillante. Le relucían los ojos.

—Bien, estaba esperando que aparecieras. Pensaba hacer un descanso, aprovechando la actuación. ¿Me acompañas?

—Disculpen...

De pronto el camarero se encontraba junto a ellos y alargó una bebida.

Viktor le oyó susurrar:

—Para la señora, de parte de un admirador.

—¿Qué? —rio ella, y miró desconcertada alrededor—. ¡Uy! La gente no pierde el tiempo.

Observó sorprendida la bebida de colores chillones.

—¿De parte de quién?

El camarero señaló al otro extremo de la barra.

—Vaya, al parecer se ha ido.

Ella se dio la vuelta hacia Viktor.

—Tengo que ir al baño. ¿Dónde nos vemos?

Él señaló una escalera que había detrás del bar.

—Baja por allí, esa parte está cerrada al público, así nadie nos molestará.

—No tardo. ¿Puedes guardarme el vaso?

—¡Sí, claro!

Viktor Algård le comunicó al camarero que se ausentaría un rato, luego se esfumó antes de que le abordara algún invitado más con ganas de hablar. Quizá nadie lo echara de menos, todos estaban concentrados en lo que sucedía en el escenario.

En el sótano había un pequeño bar y unos cuantos sofás; una puerta conducía a una terraza de suelo de piedra que daba a una calle lateral desierta. Salió por ella, encendió un cigarrillo y miró el mar. Disfrutó de la tranquilidad; en la oscuridad lo único que se oía era el rumor de las olas que rompían en la playa.

Dio un par de profundas caladas al cigarrillo.

La temperatura había descendido considerablemente, y tiritó. El frío le obligó a apagar el cigarro y regresar. Se sentó en un sofá, colocó un par de cojines en el respaldo, se arrellanó y cerró los ojos. Le embargó un repentino cansancio.

De repente, un sonido cercano lo sobresaltó. Un ligero tintineo que procedía del ascensor de empleados. No podía verlo desde el sofá, pero sabía que se encontraba al doblar la esquina, junto a la salida a la terraza. Se quedó paralizado. Su amada no había tenido tiempo de regresar del cuarto de baño.

Escuchó preocupado; lo último que deseaba ahora era la compañía de extraños.

Se oían claramente la música y el ruido de la planta de arriba, aunque distantes. Dirigió la mirada hacia el bar cerrado pero no vio a nadie. Echó un vistazo a la calle. Se encontraba igual de oscura y desierta que antes. ¿Se habría colado alguien mientras salió a fumar? Se había alejado un trecho por la terraza y le había dado la espalda a la puerta. Los pensamientos oscilaban de un lado a otro en su preocupada mente. Ahora reinaba de nuevo el silencio.

Volvió la cabeza a izquierda y derecha, todo era fruto de su imaginación. Quizá se trataba de una pareja que se había escabullido de la fiesta en busca de un rincón apartado. Esas cosas sucedían en todas las conmemoraciones. Y lo habrían visto sentado en el sofá. Le echó un vistazo al reloj. Habían transcurrido diez minutos. Ella debería llegar en cualquier momento.

La bebida resultaba tentadora y sintió sed. Se estiró para alcanzar el vaso.

Al tragar sintió que una llama ardiente le recorría la garganta. Sujetó sorprendido el vaso frente a sí, estudió el contenido. El sabor era áspero, le recordó algo, pero no pudo definirlo. También sintió un olor penetrante.

En ese mismo instante le embargó una sensación de mareo; le costaba respirar, violentas convulsiones recorrieron su cuerpo. Se puso de pie con esfuerzo, dio unos pasos titubeantes, procuró articular la palabra «socorro», intentó gritar. Sus labios no articularon ni un solo sonido. La habitación se tornó borrosa.

Viktor Algård perdió el equilibrio y se desplomó.

El campo de golf de Kronholmen se encontraba situado en un hermoso cabo rodeado de agua. Por desgracia, aquel idílico lugar no ejercía efecto positivo alguno en el ambiente. Anders Knutas agitó la cabeza hacia su hijo Nils, que, al no embocar una bola en el hoyo, tuvo un nuevo ataque de rabia, el tercero en una hora. Inspirado por la conversación de la noche anterior con su acompañante en la cena y aprovechando que hacía buen tiempo, se había llevado a los gemelos al campo de golf de Kronholmen para disfrutar de un par de horas en familia. Muy pronto comprendió que debería haber sido más realista. Ambos se hallaban en la mitad de una delicada pubertad y padecían ataques de ira al menor contratiempo. Los últimos seis meses habían sido insufribles. Con solo preguntarle a Petra si quería zumo con el desayuno, ella le espetaba un: «¡Por Dios, papá, qué pesado eres!». A Nils le parecía una osadía que le preguntara cómo había ido el entrenamiento de fútbol. No se podía jugar con dos adolescentes en pleno caos hormonal.

Cuando por la mañana fue a buscar el periódico dominical al buzón y vio el claro cielo primaveral le pareció una magnífica idea dar una vuelta por el campo de golf con los chicos. El día era claro y despejado. El sol brillaba y calentaba de una forma agradable.

Pero de qué servía. Ya se estaba arrepintiendo.

—¡Joder, coño! ¡Odio esta mierda de golf!

Nils alzó el hierro con el rostro enrojecido y golpeó con fuerza la bolsa de golf que había a su lado. El palo rasgó la piel, una buena raja y, además, agujereó la botella de coca-cola, lo cual hizo que el líquido brotase como una fuente y salpicara los vaqueros nuevos de Nils.

Knutas se enfureció. Perdió la paciencia después de haber aguantado caras largas durante toda la mañana.

—¡Ya basta! —bramó—. ¿Quieres destrozar la bonita bolsa que te regalaron en Navidad? ¡No tendrás paga mientras no hayas pagado hasta la última corona!

Recogió enfadado sus cosas y prosiguió, indignado.

—Aquí está uno intentando pasar un rato agradable con vosotros y lo único que ve son caras largas. Sí, tú también, Petra. No está bien. ¡Os comportáis como un par de niños pequeños!

—¡Me importa una mierda! —exclamó Nils a su espalda—. ¡No quiero una bolsa nueva, además, no voy a jugar nunca más al golf! ¡Lo odio!

—No me regañes a mí; yo no he hecho nada —vociferó Petra.

Knutas se encaminó hacia el coche.

Se sentía enfadado, triste y decepcionado. A veces pensaba que no era un buen padre. Ya no entendía a sus hijos.

En el coche de vuelta a la ciudad reinó un espeso silencio. Casi treinta kilómetros sin que pronunciaran ni una sola palabra. Knutas no sabía cómo acercarse a ellos. Cualquier cosa que dijera resultaba errónea. Lo mejor que podía hacer era callarse.

Tuvo tantas ambiciones al tener hijos. Se había dedicado a su papel de padre en cuerpo y alma, había intentado no trabajar demasiado. Jugaba con ellos cuando tenía tiempo, durante el verano, en el campo, pescaba y construía cabañas, cada temporada intentaba presenciar, por lo menos, un par de partidos. Cuando se encontraba en casa con sus amigos era amable y divertido. Hasta llegó a ser «padre de clase» en el colegio. Fue tan ingenuo que creyó que la buena relación duraría toda la vida. Que la base que Line y él habían sembrado era estable. Los últimos seis meses habían conseguido desilusionarlo y endurecerlo. Poco a poco comprendió de forma dolorosa que la relación con sus hijos era frágil y delicada, que podía erosionarse en cualquier momento.

Sin embargo, en lo más profundo de su ser deseaba creer que todo iba bien.

Al aparcar comprobó para su tranquilidad que la cocina estaba iluminada. Line se encontraba en casa, por lo menos eran dos a la hora de compartir la adversidad. Sus retoños caminaban deprisa por el camino de gravilla unos pasos delante de él. Las espaldas mostraban desapego.

—¡Hola! ¿Os lo habéis pasado bien? —saludó Line desde la cocina cuando entraron en el recibidor.

—Sí, muy bien —murmuró Nils enfadado, se quitó los zapatos de malas maneras y desapareció escaleras arriba.

Knutas oyó el portazo de la puerta al cerrarse. Se sentó a la mesa de la cocina emitiendo un suspiro resignado.

—¡Ay, Dios mío! ¿Qué puedo hacer?

—¿Qué ha pasado?

—Todo me sale mal, no entiendo por qué son tan negativos. Sobre todo, Nils. ¿Sabes lo que ha hecho? Se ha enfadado de tal manera que ha roto de un golpe su bolsa de golf. Le dije que tendría que comprar una nueva y me respondió que le importaba una mierda y que no quería volver a jugar al golf.

—Eso se llama emancipación —contestó Line lacónica, y colocó un par de tazas de café sobre la mesa—. Lo único que se puede hacer es tranquilizarse y conservar la calma.

Knutas negó con la cabeza.

—Yo no recuerdo haberme comportado así. Pertenecemos a otra generación. Antes se trataba a los padres con más respeto. Uno no hacía ni decía cualquier cosa. ¿No es cierto?

Line se recogió la compacta coleta pelirroja antes de servir el café. Se sentó frente a él y le lanzó una mirada irónica.

—¿No oyes lo anticuado que suenas? ¿Te has olvidado por completo de cómo eras tú? Me contaste que cuando tus padres te dejaron ir a Copenhague con una chica, te fuiste con ella en autostop a París sin decirles nada. Lo único que recibieron fue una postal del Arco del Triunfo. Tu madre me la enseñó. ¿Cuántos años tenías, diecisiete?

—Vale, vale —repuso Knutas, desarmado—. No estoy acostumbrado a no saber qué les pasa. No consigo hablar con Nils. Es inaccesible.

—Lo sé. Pero piensa que solo es una etapa. Ahora te toca pasar el peor momento. Necesita alejarse de ti para encontrarse a sí mismo. Se están haciendo mayores, Anders.

—Me preocupa mucho.

Ella posó la mano sobre la suya.

—Lo entiendo, recuerda que durante el otoño, Petra apenas me dirigió la palabra. Ahora estamos mucho mejor. Creo que Nils está pasando por lo mismo. Tómatelo con calma, pasará. Liberarse les resulta doloroso, para superarlo tienen que despreciarnos durante un tiempo. Es perfectamente natural.

Knutas observó a su mujer envuelto en un mar de dudas. Deseó poder ser igual de impasible. Abrió la boca para decir algo, pero el timbre del teléfono lo interrumpió.

El jefe de guardia le comunicó que habían encontrado a un hombre muerto en el palacio de congresos.

Todo apuntaba a que se trataba de un homicidio.

Vuelve a despuntar el alba como una dolorosa confirmación de que la vida continúa. Estoy sentado, o mejor dicho, recostado en el sofá como suelo hacer. Me envuelve, como de costumbre, una sensación de irrealidad.

Llevo tumbado aquí unas cuantas horas, me fui de la cama al sofá en un desesperado intento de poder conciliar el sueño. Los recuerdos de la infancia me importunan más y más cada vez. Siento como si el tiempo me hubiera alcanzado. No puedo escapar.

Un verano fuimos a Estocolmo a hacer la acostumbrada visita a la abuela. Por fin iríamos a Skansen. Mamá nos lo había prometido hacía tiempo. Yo llevaba varias semanas esperando ese momento. No podía pensar en otra cosa. Cuando llegó el domingo por la mañana me sentía tan ansioso que apenas pude desayunar. Adoraba a los animales y pedía sin cesar que me regalaran un perro, un gato o por lo menos una cobaya. Tenía ocho años y, por primera vez, iba a visitar un zoológico.

El sol resplandecía al otro lado de la ventana y mamá se encontraba de un humor excelente.

Desayunó con avidez sus sándwiches y bebió el café. Estaba deseosa de prepararlo todo para que pudiéramos irnos.

—Niños, ¿a que nos lo vamos a pasar muy bien viendo todos los animales? ¡Skansen es tan bonito!

Recogió la cocina mientras tarareaba la canción «Leva livet» (Vivir la vida) de Lill-Babs que sonaba en la radio. Preparó unos sándwiches con lechuga, jamón y queso, diluyó zumo y sacó del congelador unos bollos de canela de la abuela.

—Nos llevaremos una bolsa con comida y así podremos sentarnos en el parque junto a Solliden. Desde allí hay una vista maravillosa de toda la ciudad. ¡Lo vamos a pasar en grande!

Se apresuró al cuarto de baño, se pintó sus largas y bonitas pestañas de forma que resultaron aún más largas. Yo estaba sentado en la tapa del retrete y observaba admirado cómo se arreglaba.

—Mamá, tienes unos ojos muy bonitos.

—¿Te parece? —se rio satisfecha—. ¡Gracias mi amor!

La abuela se encontraba demasiado achacosa para acompañarnos, así que fuimos con la tía Rut y el primo Stefan, que era unos años mayor que yo. La tía Rut vivía sola, al igual que mamá. Su marido la había abandonado cuando se enamoró de su secretaria. Antes la familia vivía en Saltsjöbaden y «tenían una buena posición», como decía mamá. Ahora la tía Rut se había mudado con Stefan a un apartamento en Östermalm.

Tomamos el tren, la abuela vivía a una veintena de kilómetros de la ciudad. Mi emoción iba en aumento con el paso de cada estación. Apenas podía permanecer sentado. Mis hermanos hablaban con mamá, comentaban el paisaje y las personas que había en el andén cuando el tren se detenía en una estación. «¡Mira qué sombrero más raro lleva esa señora! ¿Dónde estamos ahora? ¿Cuánto falta? ¡Qué cachorro más bonito!»

No podía concentrarme. Solo deseaba permanecer sentado y en silencio hasta que llegáramos.

Después de una eternidad, nos bajamos en la estación central de Estocolmo. Allí tomamos el autobús hacia Skeppsbron, en Gamla stan, desde donde salía el *ferry*. A mamá no le gustaba ir en metro. Decía que olía mal. Y además, había allí mucha gente indeseable.

La tía Rut y Stefan nos estaban esperando en el muelle. Mamá y Rut se abrazaron, mis hermanos y yo nos cogimos de la mano.

Apenas los veíamos un par de veces al año. Stefan parecía contento con nuestra llegada y eso me alivió. Me había sentido algo nervioso.

Subimos al barco y los niños nos quedamos en cubierta. El sol brillaba, el agua resplandecía. Era mayo, pronto llegaría el verano, y acabaría segundo. Stefan y yo estábamos juntos y nos asomábamos por la borda, observábamos cómo desaparecían detrás de nosotros las iglesias y las casas de Gamla Stan con sus estrechos callejones.

Mamá y la tía Rut se resguardaban del viento en el interior. Ambas tenían el pelo recogido con un pañuelo, el de Rut era azul marino y el de mamá, rosa, su color favorito. Iba vestida de lo más elegante, con una estrecha falda negra y una chaquetilla rosa con botones grandes. Me sentía orgulloso de ella. Era guapísima. A su lado Rut parecía una señora mayor, a pesar de que tenían casi la misma edad. Mamá era delgada y se la veía mucho más joven. Estaba sentada allí, riéndose, y era tan bonita… Me sentía contento de verla feliz.

Y pronto me encontraría de verdad con todos esos animales que solo había visto en fotografías o en la televisión. No podía creer que fuera cierto.

De repente, Djurgården apareció ante nuestros ojos. Stefan lo señaló. «Eso de allí es Grönan. ¿Ves la montaña rusa? Aquella. He montado muchas veces. ¿Te da miedo?»

Yo negué con la cabeza. Nunca antes había estado allí, pero en ese momento no importaba. Iría a Skansen.

El barco atracó y descendimos. Había mucha gente y estuve a punto de perderlos de vista en la aglomeración frente a la entrada. De repente, sentí cómo alguien me pellizcaba con fuerza el brazo.

—¿Dónde te has metido? —gritó mamá con irritación. Su voz malvada surgió en un instante, a pesar de haber estado riendo hacía un momento–. Tienes que quedarte con nosotros, ¿no lo entiendes?

El nudo del estómago regresó y se situó en su lugar habitual. Intenté enfrentarme a él, olvidarlo. Ya casi habíamos llegado. Le hice un comentario a Stefan en un intento falto de entusiasmo por bromear, me esforcé en ser como era de costumbre. Ahora nos lo íbamos a pasar bien. Había deseado hacer esa visita desde hacía tanto tiempo… Allí dentro me esperaban los animales.

Tuvimos que hacer cola para entrar. A mamá se le cambió el semblante. Había por lo menos treinta personas delante de nosotros. La inquietud en el estómago creció. «No tardaremos mucho, mamá. Yo puedo llevar la bolsa.»

Brillaba el sol, hacía calor y las personas de alrededor no parecían molestas por tener que esperar. Hablaban, reían y bromeaban. Deseé que mamá pudiera estar igual de relajada.

La cola avanzaba lentamente. Rut se empolvó la nariz. Mamá encendió un cigarrillo. «¡Por Dios, cuánto tardan! ¿Qué hacen ahí delante?»

Cuando por fin pasamos el torniquete, todos tuvimos que ir al aseo. Yo me sentía demasiado tenso para poder orinar.

Skansen se hallaba en lo alto de una montaña; subimos la cuesta. A poca distancia apareció un quiosco de helados y Rut se detuvo.

—¡Ahora os voy a invitar a un helado! Así nos sentaremos un rato antes de seguir. Skansen es muy grande, niños, se tarda mucho en verlo todo. Justo ahí arriba están los elefantes y tenéis que comeros el helado antes de llegar, de lo contrario quizá os lo birlen. ¡Podéis elegir el sabor que queráis!

Cuando mamá se sentó a una mesa con una taza de café y un cucurucho de vainilla la expresión de fatiga desapareció de su rostro.

—Esto era justo lo que necesitaba —dijo agradecida, y sonrió a Rut.

El ambiente se relajó y pude tranquilizarme.

Al llegar nuestro turno para elegir helado, al principio tuve cuidado y no me atreví a pedir el helado con gofre que me apetecía. Pero Rut insistió y no se dio por vencida hasta que elegí ese. El heladero me guiñó el ojo y dejó que el helado saliera de la máquina durante un buen rato hasta que me dio el cucurucho más alto que nunca había visto. Lo cogí con cuidado emocionado. Vainilla y chocolate, estaba delicioso. Solo lo había tomado un par de veces y era mi favorito. Me senté a la mesa junto a mamá.

Sentí un cosquilleo en el estómago al ver la entrada al recinto de los elefantes. Pronto estaríamos allí. Todos los niños teníamos helados parecidos y, al observarlos, constaté satisfecho que el mío era un poco más alto. Como si mi primo me hubiera leído el pensamiento, exclamó de pronto.

—¿Quién tiene el helado más grande?

Stefan se inclinó hacia delante para compararlos. Yo me incorporé para hacer lo mismo. En mi empeño, golpeé sin querer la taza de café de mamá. Se volcó sobre la mesa y le mojó las rodillas. Aún puedo oír su berrido cuando el café caliente le cayó sobre la falda y las piernas. Di tal brinco que se me cayó el helado.

—¡Qué diablos haces! —gritó, y rompió a llorar desconsolada.

Rut se levantó de un salto y, nerviosa, comenzó a secarle la falda con las servilletas de papel que había en el servilletero, antes de intentar consolarla: «Venga, mujer, no ha pasado nada. Lo secaremos y luego podemos ir al cuarto de baño y enjuagar la falda con un poco de agua. Ya verás cómo con este sol se secará en un momento».

Los niños permanecimos sentados en silencio aterrorizados mientras mamá lloraba, se sentía miserable y se quejaba por todo. «¿Por qué tiene que salir siempre todo mal? ¿Nunca voy a poder estar contenta?» Me di cuenta de que las personas de las otras mesas la miraban sorprendidas y asustadas.

A continuación, y para mi desesperación, sentí cómo un líquido caliente comenzaba a correr por mis piernas. Cuando mamá lo descubrió se enfadó aún más.

—¿Te vas a hacer pis encima como si fueras un bebé? ¿No tienes suficiente con la que has armado? ¡No tienes remedio, maldito niño de mierda! ¡Lo estropeas todo, todo!

Me quedé sentado en la silla paralizado de terror, incapaz de
moverme. Aún sostenía en la mano el gofre vacío.

Durante todo el trayecto de vuelta a casa de la abuela, mamá
permaneció en silencio y enfadada. No pude ver los elefantes.
Nunca más volvería a Skansen.

El domingo comenzó con tranquilidad en la redacción del telediario regional de Visby. Johan Berg no solía trabajar los domingos, excepto un par de veces al año. Lo que le irritaba era que el redactor jefe había dicho que ese día no tendría que preparar ninguna noticia; se encargaría la redacción central en Estocolmo. Pensó enfadado que tener que pasar el tiempo en la redacción cuando no había nada que hacer era un estúpido uso de los recursos, aunque suponía una pérdida de tiempo intentar entender la organización de la Televisión Sueca. Necesitaba dormir.

Bebió su café matutino y comió un sándwich sentado a su mesa. Se columpió apático en la silla y observó con ojo crítico la estrecha oficina. La mirada recorrió las estanterías, los ordenadores, el tablón de anuncios, la ventana con vistas a un parque. Había montones de papeles sin ordenar y un mapa de Gotland que le producía mala conciencia a causa de todas las pequeñas poblaciones que prácticamente nunca visitaban.

Gotland era la isla más grande de Suecia, aunque la distancia entre Fårö, en la punta norte, y Hoburg, en el extremo sur, era de apenas ciento ochenta kilómetros; en su parte más ancha tenía cincuenta. Esa era la razón por la que Johan pensaba que deberían hacer algo más. Había que cubrir más sitios.

Como reportero del telediario regional en Estocolmo, con Gotland como zona de cobertura informativa, se había curtido durante años con los plazos de entrega y los escasos recursos. Las cosas habían mejorado desde el polvoriento cuchitril que, en un principio, albergó la redacción al moderno edificio de radio y televisión donde trabajaban actualmente, a solo diez minutos del centro. Las oficinas estaban bien, pero tuvieron que cambiar sus rutinas y ser más organizados, más ambiciosos, idear una estrategia de trabajo. Aunque hoy en día disponían de escasos recursos. Por lo general, eran la cámara Pia Lilja y él quienes decidían qué noticia cubrir, pero como solo trabajaban ellos dos en la redacción resultaba difícil encontrar tiempo para investigar. Max Grenfors, el redactor jefe de Estocolmo, quería que le entregaran una noticia diaria, de forma que las retransmisiones se pudieran rellenar sin problema. Las noticias debían ser de dos minutos de duración, informativas e intrascendentes, ya que cuanto más se alejaba uno de Estocolmo menos interés tenían, según el punto de vista de Grenfors. Cuántas veces se había enfrentado a él para reclamar más atención hacia los problemas de Gotland; problemas locales, sin duda, pero que también podían enfocarse desde una perspectiva más amplia.

Se sentó frente al ordenador. Tenían un tema de máxima actualidad que era extensible a Estocolmo y al resto del país: el aumento de la violencia juvenil. Hizo clic con el ratón y el retrato de un joven de dieciséis años ocupó toda la pantalla. Alexander Almlöv, brutalmente maltratado una noche en Visby a la salida de una discoteca juvenil. Lo habían golpeado hasta dejarlo en coma; estaba en el hospital Karolinska y todavía, dos semanas después de la fatídica noche, se debatía entre la vida y la muerte. Se enzarzó en una pelea con un compañero de clase en la calle Skeppsbron a la salida de la discoteca Solo Club que esa noche organizaba una velada especial para los alumnos de bachillerato. Habían acudido cientos de jóvenes de toda la isla, y a pesar de que no se servían bebidas alcohólicas a los menores de dieciocho años, en la calle bebieron una buena cantidad de alcohol de destilación casera. La pelea comenzó con una discusión dentro de la discoteca y se agravó cuando los porteros echaron del local a los involucrados y se sumó más gente. Al final persiguieron a Alexander hasta el puerto donde lo golpearon hasta dejarlo inconsciente detrás de un contenedor. Recibió puñetazos y patadas en la cabeza y por todo el cuerpo. Tras dejarlo inconsciente lo abandonaron a su suerte. Los amigos que salieron a buscarlo lo encontraron unos minutos después. Eso probablemente le salvó la vida, si es que al fin se salvaba. Aún no se sabía qué iba a pasar con él.

Los casos de violencia juvenil se habían disparado de manera dramática durante los últimos años, y cada vez eran más brutales. El uso de cuchillos, porras y de vez en cuando armas de fuego también había aumentado. Johan deseaba hablar del incremento de la violencia y sus probables causas. Las peleas entre adolescentes, sobre todo, solían tener lugar durante el verano, cuando los turistas invadían la isla. Visby era muy popular entre los jóvenes debido a su clima soleado, sus largas playas de arena y su vida nocturna.

—Hola.

Alzó somnoliento la cabeza del recorte de prensa. No había oído la llegada de Pia Lilja, la cámara.

Se sentó a su mesa enfrente de la de Johan bostezando y encendió el ordenador.

—¡Joder, qué aburrido tener que trabajar en domingo! ¿Hay algo que hacer?

—Al parecer, nada. ¿Estás cansada?

Ella lo observó con sus ojos demasiado maquillados y mirada juguetona.

—Sí, no dormí mucho anoche.

—¿Un rollo nuevo?

—Sí, eso podría decirse.

En realidad Pia Lilja tenía siempre algún rollo nuevo. Su apetito por los hombres resultaba insaciable y ellos la correspondían. Tenía veintiséis años, era alta y delgada, y su cabello negro se disparaba en todas direcciones. Llevaba un *piercing* en la nariz y otro en el ombligo, que decoraba con piedras de distintos colores, y el maquillaje de sus ojos era de lo más llamativo. Llevaba los párpados pintados de color turquesa.

Se alegraba de que no le hubiera hecho ninguna propuesta, pues no sentía interés alguno por su compañera. Cuando empezaron a trabajar juntos, Johan ya había conocido a Emma Winarve que era su gran amor y hoy en día también su esposa.

—¿Algún conocido? —preguntó él.

—No lo creo. Es pastor de ovejas en Sudret. Un auténtico eremita, pero guapo y *sexy*. Buenos músculos y una energía fantástica.

Los ojos de ella adquirieron un aire soñador.

—¿Cómo lo conociste?

—Un día pasé a primera hora de la mañana por su granja y en una de las dehesas, inmersas en la bruma matutina, había cientos de ovejas. Fue una visión irresistible. Tuve que detenerme y sacar unas fotografías. Y entonces apareció él; salió caminando de entre la niebla como si fuera un personaje de cuento. Y tú, ¿tienes resaca? Ayer estuviste de fiesta. ¿Te lo pasaste bien codeándote con la alta sociedad?

Desde el momento en que aceptó la invitación a la inauguración del palacio de congresos, ella se burló de él.

—Sí. Muy bien. Champán y buena comida gratis. Los padres con niños pequeños no solemos salir mucho, así que tenemos que aprovechar las oportunidades.

—Tú eres periodista: tienes que ser independiente —espetó Pia indignada, y abrió sus largos brazos—. ¿Qué pasaría si resultara que los propietarios de ese maldito consorcio, o lo que sea, que se ha encargado de la construcción, se hubieran enriquecido con el dinero de los contribuyentes? ¿O si parte de las obras se hubiesen pagado en dinero negro? ¿O si Algård, el mafioso que organizó la fiesta, vendiera bebidas alcohólicas o suministrara drogas a los jóvenes?

—Espero poder separar ambas cosas.

Johan esbozó una media sonrisa. Claro que tuvo sus dudas. Invitaron a un puñado de periodistas a la fiesta, él entre ellos. Cuando recibió la invitación se sintió neciamente halagado al mismo tiempo que se avergonzó por mostrarse deseoso de dejarse invitar por la clase dirigente a la que debía vigilar. Cuando habló de la invitación con Emma, ella le dijo que no se podía decir a todo que no por el simple hecho de ser periodista. ¿Podría una sola fiesta influir en su trabajo? Si la semana siguiente se supiera que el alcalde había falseado los gastos de representación, ¿no informaría de ello como de costumbre a pesar de haber asistido a la fiesta? Sí, sí lo haría. Y además, apuntó Emma, como periodista era bueno moverse por toda la escala social. Hacerse una idea de cómo era la gente, entablar nuevos contactos. Solo por relacionarse con determinadas personas de vez en cuando, uno no tenía por qué ser su amigo.

Acudió a la fiesta, pero no se sintió del todo cómodo. ¿Se podían realmente mantener las distancias? Si uno conocía a personas en privado no sería raro que tarde o temprano se despertaran los sentimientos y nublasen la vista. Para minimizar los riesgos, debía mantenerse alejado de esa clase de relaciones. Pia tenía razón, pero como su tono de voz resultaba irritante no deseó dársela. Cambió de tema.

—Si vamos a hablar de trabajo, creo que deberíamos discutir más sobre la violencia juvenil. Y si, a pesar de todo, tenemos que montar alguna noticia, siempre podemos hacer algo sobre el caso Alexander. Su estado no ha cambiado, pero podemos hablar con algunos jóvenes sobre cómo fue el fin de semana. Según la Policía, la ciudad gozó de una relativa calma. Tal vez debido a la agresión. Por cierto, Alexander es solo uno más de una larga lista, aunque acabara peor de lo normal.

Recogió una carpeta del montón que cubría la mesa y se la acercó a Pia.

—He recopilado cuarenta y cinco casos de agresiones de estos últimos años en Gotland en los que han estado involucrados jóvenes. Ninguno resultó gravemente herido hasta ahora, pero creo que tarde o temprano alguien acabará muerto, si es que Alexander se recupera.

—¡Sí, joder! —suspiró Pia—. Unas primas mías presenciaron el verano pasado una pelea en la que pegaron a un chaval. Seguro

43

que se encuentra entre tus estadísticas. ¿Te acuerdas del caso de Östercentrum?

—Refréscame la memoria.

—Lo golpearon con barras de hierro y con porras, pero creo recordar que fue sobre todo en el cuerpo, no en la cabeza. Mis primas no participaron en la pelea aunque lo presenciaron todo. Resulta incomprensible cómo la gente puede quedarse mirando sin hacer nada.

—Yo tampoco lo entiendo. Es difícil saber cómo reaccionarías. Ese es uno de los aspectos. Otro asunto que se olvida, tanto en el debate en general como en la violencia juvenil, son los progenitores. ¿Dónde están los padres? ¿Qué hacen? ¿Qué piensan? ¿Cómo se sienten? ¿Qué responsabilidad tienen en que se haya llegado hasta ahí? ¿Qué hacen para detener la violencia? Como en el caso Alexander, por ejemplo: los padres no han hecho declaraciones a los medios, ni los de la víctima ni los de los agresores; la Policía ha acusado a cinco chicos. Creo que alguno querría decir algo.

—No me parece nada raro. Se avergüenzan, claro. Vivimos en la pequeña Gotland donde todos se conocen, más o menos. O conocen a alguien que conoce a alguien. No es tan sencillo aparecer en público y decir que tu hijo es un maltratador. Que quizá acabe siendo acusado de homicidio si las cosas salen mal. ¿Están detenidos?

—Tres; a los otros dos los soltaron a espera de juicio pues eran demasiado jóvenes. No tienen ni quince años.

El teléfono los interrumpió. El redactor jefe de Estocolmo les comunicó que podían irse a casa. La retransmisión del día ya estaba preparada.

Les recomendó que tuvieran los móviles encendidos por si, contra todo pronóstico, sucedía algo inesperado.

Cuando Knutas llegó al palacio de congresos, el exterior se encontraba en calma. A no ser por un par de coches patrulla aparcados de cualquier manera frente a la entrada principal, no se apreciaba actividad alguna. En el interior se encontró con Erik Sohlman, de la Policía científica, que acababa de llegar. Uno de los agentes les indicó el camino hasta el lugar de los hechos. Algunos empleados de limpieza hablaban con los policías. Una mujer de rasgos orientales lloraba desconsolada sentada en un sofá.

Al franquear el vestíbulo, tuvo una sensación algo surrealista; en ese mismo lugar, apenas un día antes, había estado brindando con champán entre el barullo de personas vestidas de fiesta. Ahora la escena era completamente diferente. Cruzaron el salón desierto y sucio de la planta baja y llegaron a un salón más pequeño con unos sofás y un bar. Esa zona había permanecido cerrada el sábado por la noche.

En el otro extremo, en una esquina, había un ascensor de empleados, estrecho y apartado, donde yacía el cuerpo; sobresalían la mitad de las piernas. El difunto vestía una camisa de seda y pantalones negros. Del pelo oscuro peinado hacia atrás, se le había escapado un rizo sobre la frente. Calzaba unos zapatos negros relucientes con las suelas apenas gastadas.

—¿Lo reconoces? —preguntó Knutas, conteniéndose.

—No.

—Es Viktor Algård. Fue él quien organizó la fiesta.

Las imágenes de la noche del sábado cruzaron su mente. El organizador de fiestas, como siempre, elegantemente vestido. Rebosante de vitalidad, había recibido a los invitados, después había ido de un sitio a otro, hablando aquí y allá, atendiendo a la gente y comprobando que todo funcionara. Ahora se encontraba allí, muerto. Era una visión aterradora y Knutas experimentó una ligera sensación de malestar.

—Pero observa el color. Extraño —murmuró Sohlman. Se puso en cuclillas y estudió el cuerpo.

El color del rostro desconcertó a Knutas. No recordaba haber visto antes nada parecido. La piel tenía una clara tonalidad rosácea, en algunas partes parecida a la de un cerdo. En las manos y los brazos le sucedía lo mismo.

El inspector de la Científica se inclinó un poco más y comenzó a olisquear el rostro de la víctima. Le separó los labios pálidos con cuidado, introdujo un dedo entre los dientes y le alzó la mandíbula. Retrocedió esbozando una mueca de disgusto.

—¿Qué haces? —inquirió Knutas indignado.

Sohlman le lanzó una mirada expresiva.

—Huélelo.

Knutas se agachó. Sintió un hedor penetrante.

—¿Qué es lo que huele tan mal?

—Almendras amargas —murmuró Sohlman—. Lo que significa que lo más probable es que lo envenenaran con ácido cianhídrico. Suele dejar un fuerte olor a almendras amargas; además, también lo indica la coloración del cuerpo. Antes lo llamaban cianuro potásico. ¿Te acuerdas de la vieja novela policíaca de Agatha Christie *Cianuro espumoso?* En este caso coincide. Tú estuviste en la fiesta y bebisteis champán, ¿no es cierto?

Knutas no fue capaz de responder. Intentó recordar cuándo fue la última vez que vio a Algård.

—¿Cuánto tiempo crees que puede llevar muerto?

Sohlman le levantó un brazo con cuidado.

—Ha desarrollado un rígor mortis completo y, además, tiene lividez post mórtem, así que estamos hablando de por lo menos doce horas, quizá más.

Knutas miró el reloj. Eran las cinco menos cuarto. Se había tropezado con Algård de camino al cuarto de baño. Fue tras los postres, justo antes de que comenzara el baile. ¿Qué hora podría haber sido? Por lo menos las once, once y media. Esa fue la última vez que lo vio. Pero había tanta gente y tal desbarajuste cuando todos abandonaron las mesas y se repartieron por todas partes... Él mismo estuvo bailando con Line casi toda la noche, apenas salió a fumar un par de veces. Se quedaron hasta que acabó la música a las dos de la madrugada. No recordaba haber visto a Algård cuando se marcharon. Line había entablado una intensa conversación con la gobernadora, de modo que les costó abandonar el lugar. Fueron de los últimos en irse del palacio de congresos.

En el suelo frente al ascensor había manchas de sangre y débiles marcas de algo que se había arrastrado. Además, Viktor Algård tenía un corte en la frente con sangre coagulada.

—¿Y la herida en la frente? —preguntó Knutas.

—Quién sabe —murmuró Sohlman—. El suelo está lleno de manchas de sangre. —Se puso en pie y señaló—: Al parecer, el asesino arrastró a la víctima hasta el ascensor. Se pueden ver las marcas.

Knutas miró alrededor. Una puerta de cristal conducía a una terraza con algunas mesas, daba a un callejón y a un pequeño aparcamiento. En la otra dirección se encontraban el mar, la casa de baños públicos y el puerto.

Por la calle pasó una mujer con un perro y miró con curiosidad a través de las grandes cristaleras. Esas malditas ventanas, pensó Knutas; las había por todas partes. Tenía que acordonar la zona. Llamó al inspector Thomas Wittberg, que asomó la cabeza por la puerta.

—¡Acordona el edificio, el callejón y los alrededores! Cualquiera puede mirar dentro. ¡Los periodistas no tardarán mucho en aparecer! Pide refuerzos. Quiero que envíen unos perros.

—De acuerdo. Oye, la mujer de la limpieza que lo encontró se va ir. ¿Quieres hablar con ella antes de que se marche?

—Por supuesto.

Wittberg señaló hacia la mujer asiática sentada en el sofá, apoyada en el hombro de un policía. Su delgado cuerpo se estremecía con el llanto. Knutas se dirigió hacia ella y se presentó.

El compañero de Knutas, cuyo nombre había olvidado, se puso en pie y le dejó sitio en el sofá. La mujer tendría unos veinticinco años y llevaba el pelo largo y negro recogido en una cola de caballo. Cuando se sentó a su lado se dio cuenta de lo bajita que era.

—¿Cómo te llamas?

—Navarapat, pero me llaman Ninni.

—Bien, Ninni. ¿Puedes contarme qué pasó cuando llegaste?

—Llegué con mi compañera Anja; los otros ya se encontraban aquí. Los vestuarios y el almacén están en el sótano. Nos cambiamos e íbamos a comenzar por el vestíbulo. Ella se encargó del guardarropa y de esta zona. Yo empecé por el otro lado. —La joven mujer alargó su delgado brazo y señaló el lugar—. Y cuando llegué descubrí el cuerpo.

—Cuéntame exactamente qué fue lo que viste —le pidió Knutas—. Intenta recordarlo todo. Cualquier detalle puede ser importante.

—Llegué con mi carrito, pasé el bar —volvió a señalar—. Y luego lo vi ahí, en el suelo del ascensor. Estaba tendido bocabajo así que no pude verle el rostro.

—¿Qué hiciste?

—Llamé a Anja y luego telefoneamos a la Policía.

—¿A qué hora llegasteis aquí?

—Comenzamos a las cuatro y llegamos aquí a las cinco.

—¿Y cuánto tiempo tardasteis en encontrarlo?

—Diez minutos, quizá quince.

—Dijiste que Anja te hacía compañía; ¿cómo venís al trabajo?

—Las dos vivimos en Gråbo y venimos en bicicleta.

Knutas se sintió satisfecho por el momento. Le dio las gracias y la avisó de que la citarían en la comisaria por la tarde para tomarles declaración, a Anja y a ella.

El teléfono móvil de Johan comenzó a sonar justo cuando se había quedado dormido en la cama de matrimonio con Emma sobre un brazo y Elin sobre el otro. Emma se alegró de que regresara a casa tan temprano. Ya que ambos se sentían cansados tras la gran fiesta de la noche anterior y Elin estaba agotada a causa de la tos, acabaron los tres en la cama, a pesar de que eran las dos de la tarde. Se acurrucaron en las almohadas, se taparon con el edredón y le leyó un cuento a Elin hasta que a los dos se les cerraron los párpados.

Era Pia Lilja quien llamaba.

—Hola, ¿estabas durmiendo? Pues a levantarse: han encontrado un cadáver en el palacio de congresos, y no se trata de uno cualquiera.

—¿Cuándo? ¿Ahora?

La voz de Johan sonaba pastosa. Carraspeó y apartó a Elin, que dormía con la boca abierta.

—Por lo que he sabido, lo acaban de encontrar. Se trata de Viktor Algård.

Pia jadeaba, oyó cómo caminaba por la calle mientras hablaba.

—Voy camino del coche. Nos vemos en el palacio de congresos, ¿vale?

—De acuerdo. ¿Cómo te has enterado? —preguntó, mientras se levantaba de la cama.

—El cuerpo lo encontraron unas mujeres de la limpieza, y conozco a una. Hasta luego.

Pia cortó la conversación. A Johan no le sorprendió. Tenía una red de contactos en la isla fuera de lo común. Nacida y criada en Gotland, con seis hermanos y familiares repartidos por todos los pueblos, contaba con una serie de embajadores informativos que la avisaban tan pronto como ocurría algo. Claro que muchas veces resultaba en vano.

Tocó con cuidado a Emma.

El cabello le cubría el rostro y estiró satisfecha sus largas piernas, se dio la vuelta y se tapó aún más con el edredón. Johan le dio un empujón algo más brusco. Entonces reaccionó, se sentó en la cama, bostezó y lo miró con los ojos entrecerrados.

—¿Qué pasa?

—Han encontrado muerto a Viktor Algård en el palacio de congresos. Tengo que irme.

La besó en la frente y salió de la habitación antes de que ella pudiera responder.

Media hora después aparcaba el coche junto al palacio de congresos. Unos cuantos policías acordonaban la zona.

Saludó a sus colegas de la radio y la prensa locales. Al parecer, el rumor había corrido. Pia se encontraba en plena acción con la cámara. Se había colocado en una calle lateral y filmaba el interior a través de un gran ventanal hasta que un policía la apartó.

—El cuerpo sigue ahí dentro. ¡Es horrible! Había sangre en el suelo. Espero haber pillado algo, pero lo más seguro es que, por desgracia, todo sean espaldas.

—Quizá eso sea lo mejor —respondió Johan, lacónico.

Pia Lilja era una buena cámara, aunque a veces carecía de un criterio claro de lo que era éticamente correcto.

Los minutos pasaban y pronto tendrían que ir al edificio de la televisión para que les diera tiempo a editar la noticia antes de la transmisión. El redactor jefe de Estocolmo les había telefoneado y avisado de que el telediario también quería utilizar la noticia. Tenían que darse prisa. Ningún policía quería decir nada y Knutas estaba ilocalizable.

De pronto, el comisario salió del edificio y el grupo de reporteros lo asaltó a preguntas. Respondió conciso a algunas de ellas antes de desaparecer a bordo de uno de los coches patrulla.

Finalizaron el trabajo con Johan ante el palacio de congresos relatando la poca información con la que contaban.

«La inauguración del palacio de congresos de Visby reunió ayer, en un costoso evento, a más de quinientos invitados. Pero la fiesta tuvo un trágico final. Hoy, poco después de las cuatro de la tarde, se encontró el cadáver de un hombre en su interior. La víctima asistió a la fiesta y lo más probable es que no abandonara el edificio. Fue el personal de limpieza el que descubrió el cuerpo, justo aquí, a mi espalda, en un apartado ascensor de empleados en el sótano del edificio. Esa parte del local no se utilizó durante la fiesta de anoche. Los rastros hallados en el lugar de los hechos indican que se ha cometido un crimen; entre otros indicios, se han encontrado manchas de sangre. La Policía ha confirmado a *Noticias regionales* que sospecha que el hombre haya sido asesinado. Se ha acordonado el palacio de congresos y sus alrededores. Ahora los cuerpos de seguridad se dedican a buscar testigos en las casas adyacentes, y a rastrear la zona con la unidad canina. De momento no hay detenidos y se desconoce el motivo del crimen.»

Hasta bien entrada la tarde, Knutas no dispuso de un momento para sí mismo. Llamó a Line y le contó lo sucedido; tendrían que comer sin él y no sabía cuándo volvería a casa.

Habían trasladado el cuerpo al depósito de cadáveres y a la mañana siguiente lo enviarían a Estocolmo, al Instituto Anatómico Forense de Solna.

Knutas había mantenido una larga conversación con la forense. Esta le confirmó que la causa probable de la muerte fuera envenenamiento por cianuro, pero que no lo sabría con seguridad hasta que no se efectuara la autopsia. En el mejor de los casos, la realizarían el martes. Del golpe en la cabeza, por el momento, no podía decir gran cosa. Conocía a la forense desde hacía tiempo. Era una persona muy meticulosa y nunca hablaba más de la cuenta antes de estar segura.

Knutas sacó su vieja pipa ganchuda del cajón superior del escritorio. El grupo de investigación había mantenido una primera reunión para organizar el trabajo. Lo primero era llamar a los amigos más íntimos de Algård.

Echó en falta la presencia de Karin Jacobsson en la reunión; era su lugarteniente y su mejor amiga en el trabajo. Se había ido de viaje a Estocolmo durante el fin de semana para celebrar su cuarenta y un cumpleaños. Intentó hablar con ella por la mañana para felicitarla y, por la tarde, para informarla del asesinato. Pero no cogió el teléfono, lo cual le preocupaba. Ella no solía apagar el teléfono.

Algo le había ocurrido a Karin durante los últimos seis meses; se había vuelto aún más introvertida y reservada. Siempre fue muy discreta sobre su vida privada y él se había acostumbrado.

Sin embargo, en cuestiones de trabajo era una persona que se anticipaba, extrovertida y dinámica, y siempre tenía muchas cosas que aportar. Aunque últimamente había notado un cambio sustancial. En las reuniones, Karin se sumía cada vez más en sus propios pensamientos y ensoñaciones, y parecía que le costaba concentrarse en el trabajo. Era como si hubiera aparecido un muro entre los dos. Algo se interponía entre ellos y no sabía qué era. Resultaba frustrante, pues la necesitaba tanto como siempre, quizá aún más.

Apartó los pensamientos y regresó al homicidio. El motivo, pensó. ¿Cuál era el motivo? Nada indicaba que fuera el robo. Viktor Algård conservaba su cartera y su Rolex.

No habían podido interrogar a Elisabeth Algård, su esposa. Cuando la Policía, por la tarde, acudió al hogar de la familia en Hamra para comunicarle la defunción, ella padecía un fuerte ataque de migraña que le impidió responder a ninguna pregunta. Les pidió que volvieran en otro momento. La Policía decidió aplazar el interrogatorio. Los dos hijos eran adultos y vivían en el continente. Habían sido notificados y volarían a Gotland a la mañana siguiente.

¿Tenía la mujer algún motivo para asesinar a su marido? ¿O estaría el asesinato relacionado con la brutal agresión sucedida a la salida de la discoteca Solo Club hacía unas semanas? Desde ese momento Viktor Algård estuvo en el punto de mira de la Policía y la prensa, pues era el dueño del local. Se produjo una agresión tan salvaje contra un joven de dieciséis años, que quedó en coma y hubo que transportarlo en un helicóptero a Estocolmo. Aún seguía internado en el ala de cuidados intensivos de neurocirugía del hospital Karolinska sin haber recuperado el conocimiento.

Resultó casi imposible establecer el curso de los acontecimientos. Los testimonios de los testigos fueron muchos y contradictorios, la mayoría de ellos eran muy jóvenes y, además, habían bebido. Estaba oscuro y no resultó fácil ver qué sucedía y quién hizo qué. Tres quinceañeros permanecían en prisión preventiva. Después de eso, Viktor Algård se convirtió en el blanco de todas las críticas. Muchos habían censurado sus fiestas para jóvenes desde el mismo momento en que abrió el club hacía un año. Fue objeto de un duro ataque, pues en las fiestas se vendían bebidas alcohólicas a los adolescentes, y las peleas y borracheras eran frecuentes. La noche de los hechos el control fue deficiente, se acusaba a los porteros de no haber actuado con la contundencia suficiente cuando empezó la pelea. Además, se constató que carecían de la formación necesaria. Uno de ellos era cliente habitual de los centros penitenciarios y el otro, miembro de un club de motoristas de la isla de mala reputación. Se habían celebrado unas cuantas manifestaciones en contra de la cada vez más brutal violencia juvenil y los periódicos se llenaron de indignadas cartas al director criticando la torpeza de los políticos, la falta de responsabilidad de los padres y el desmesurado consumo de violencia por parte de los jóvenes a través de internet, los videojuegos y la televisión.

No era descabellado pensar que el motivo del asesinato de Viktor Algård guardara relación con los hechos. Se había granjeado muchos enemigos.

Knutas no pudo evitar encender la pipa. Abrió la ventana y miró fuera, a la oscuridad. Él no era el responsable del caso de la agresión juvenil. Se lo había pasado a otro compañero. La razón era que se sentía implicado personal y emocionalmente. Conocía muy bien al chico al que habían dado la paliza. Alexander Almlöv había sido compañero de clase de su hijo Nils durante muchos años y el padre fue uno de los mejores amigos de Knutas. Pero la relación tuvo un final abrupto y el padre de Alexander falleció.

Se trataba de una historia muy triste.

Cinco horas después de que Knutas abandonara el trabajo, volvió de nuevo. Cuando abrió la puerta de la comisaría y saludó al agente de guardia le escocían los ojos de cansancio.

Acababa de entrar en su despacho cuando llamaron a la puerta. Karin asomó la cabeza. Dio un respingo al verla. La echaba de menos si faltaba un día al trabajo. Era casi ridículo.

—Hola, ¿qué diablos ha pasado? Me quedé conmocionada cuando el agente de guardia me lo comunicó. ¡Viktor Algård! ¡Y nadie me ha dicho nada!

Se dejó caer en el sofá al otro lado del escritorio y clavó su mirada de ardilla en él. Cruzó las piernas, enfundadas en unos vaqueros, y se arregló el jersey negro que se parecía a uno de su hija Petra. Tenía una forma de vestir adolescente. Karin era delgada de constitución para ser policía y apenas medía metro cincuenta y nueve. La chica policía de cabello corto y oscuro y ojos negros sin pintar, a no ser por un poco de rímel.

—¿«Nadie me ha dicho nada»? —repitió Knutas, lacónico—. Te he intentado llamar no sé cuántas veces.

Ella abrió los brazos.

—Me quedé sin batería ayer al mediodía y yo, tonta del bote, olvidé el cargador en casa. Pero bueno, estaba de vacaciones. Luego me di un paseo por la ciudad, cené y tomé el barco nocturno. Dormí como un lirón en mi camarote y no me desperté hasta que llegamos. Apenas he pasado un rato por casa.

—¿Y no has oído el contestador?

—No; ¿cómo podía saber que iban a asesinar a Viktor Algård la misma noche de la fiesta de inauguración? Ah, gracias por las flores. Estaban en la puerta. Una agradable sorpresa.

—De nada. Pero intenté llamarte.

—Cuéntame qué ha pasado.

—Hallaron el cadáver de Algård en el sótano, en el ascensor de empleados. Esa zona estuvo cerrada al público por la noche. Lo más seguro es que no llegara a abandonar el edificio después de la inauguración. Unas empleadas de la limpieza encontraron el cuerpo ayer a las cuatro de la tarde. Lo más probable es que lo hayan envenenado con cianuro.

—Cianuro —repitió Karin, y arqueó las cejas—. Parece increíble. ¿Estáis seguros?

—No estaremos seguros hasta que le hayan hecho la autopsia, pero todo parece indicarlo. Tenía la piel de color rosa chillón y apestaba, literalmente, a almendras amargas.

—¿Almendras amargas?

—Sí, al parecer el cianuro huele así.

—Había oído que las almendras amargas pueden ser venenosas si se comen demasiadas, unas cincuenta. Si es que alguien puede ser tan tonto como para hacerlo. Pero ¿quién puede utilizar eso hoy en día?

—¿No se emplea como ingrediente en las tartas de queso, pastas de almendra y cosas por el estilo?

—Vaya, cuánto sabes. —Karin esbozó una media sonrisa—. Tú no sueles hacer pasteles.

—No te olvides de mi pasado.

Los padres de Knutas tenían una panadería en su granja de Kappelshamn, en el norte de Gotland. Aunque se dedicaban sobre todo a hacer *tunnbröd**, Knutas creció rodeado de toda clase de pasteles.

—Pero Algård no murió por las almendras amargas, sino por el cianuro.

---

* Pan típico de Suecia hecho con harina de trigo, de centeno o de cebada. Es delgado como una *crêpe* y puede ser crujiente o blando. *(N. del T.)*

–¿Hay algún indicio de que el asesinato esté relacionado con la pelea en su discoteca y los últimos casos de violencia juvenil?

–Por el momento, no. Pero es una hipótesis interesante.

–¿Alexander sigue igual?

Knutas asintió apenado.

–¿Conocías a Algård?

–No del todo. Siempre intercambiábamos unas palabras cuando nos veíamos. He asistido a varias de sus fiestas. Era un tipo alegre, simpático y sociable, claro. En ese trabajo uno tiene que serlo.

–¿Estaba casado?

–Sí, aunque aún no hemos podido hablar con su mujer.

–¿Hijos?

–Dos, adultos. Ambos viven en el continente pero llegarán durante el día.

–¿Y los invitados?

–Los interrogaremos a todos. Será un trabajo arduo, había quinientas veintitrés personas.

–¡Dios mío!

–Nos enviarán ayuda de la Brigada central de homicidios. Hablé con ellos anoche. Al parecer, Kihlgård está de baja por enfermedad. ¿Lo sabías?

El semblante de Karin se oscureció.

–¿Qué? No, no tenía ni idea.

Martin Kihlgård era su mejor contacto en la Brigada central de homicidios. Siempre era él quien solía acudir cuando necesitaban ayuda. Adoraba Gotland y era muy popular entre los colegas de Visby. Karin y él tenían una relación particularmente estrecha. A veces, su atracción mutua era tan obvia que Knutas se sentía irritado. A su pesar, descubrió avergonzado que era puro egoísmo, pues deseaba tener a Karin solo para él. Durante un tiempo llegó a creer que había algo romántico entre ellos pero, un buen día, durante una reunión matutina, Kihlgård les contó que tenía novio.

Vio la preocupación reflejada en el rostro de Karin e intentó suavizar sus palabras.

—No será nada grave. Quizá solo tenga una gripe.

Los interrumpió Thomas Wittberg, que asomó la cabeza.

—¿Qué hay? Acabo de oír algo muy interesante.

Se detuvo en seco y apretó los labios al descubrir a Karin sentada en el sofá.

—Felicidades, por cierto. O quizá sea mejor no felicitarte por llegar a la madurez. Hasta pareces más cansada.

Karin lo fulminó con la mirada y esbozó una mueca. Thomas siempre se burlaba de ella por ser diez años mayor que él.

—Vayamos al grano —cortó Knutas, impaciente—. Tenemos una reunión dentro de cinco minutos.

—Viktor Algård estaba tramitando su divorcio. Entregaron los papeles en el juzgado hace una semana.

Llevo preparado desde ayer por la tarde. Comenzó a las ocho cuando terminó *Rapport*. Veo las noticias todas las tardes; aunque me importa un bledo lo que sucede en el mundo, eso es lo único que me mantiene unido a la realidad. Si no, mi vida es una seudoexistencia. Los días se suceden unos a otros en un continuo flujo, todos iguales. Aquí sentado en mi cárcel elegida, el paseo más largo va de la cocina al cuarto de baño.

No he visto a nadie, hoy ha llegado de nuevo la hora. Eso significa que tengo que salir de casa, lo cual requiere preparación.

Ayer por la tarde busqué ropa decente y limpia. No pienso en eso cuando estoy solo. La apilo sobre una silla: calzoncillos, calcetines, camisa, vaqueros. Pongo tres despertadores en hora con quince minutos de intervalo entre ellos mucho antes de irme a la cama para estar seguro de despertarme. Como duermo con la ayuda de pastillas, mi sueño es pesado y largo.

Coloco un reloj en la mesilla de noche, otro en el alféizar de la ventana para tener que levantarme, y el que hace más ruido, en la cocina para no sentir la tentación de volver a la cama y cubrirme la cabeza con la manta.

Y los tres puestos en hora con tiempo de sobra para poder despertarme y llevar a cabo las tareas matutinas que precisan las personas normales que hacen cosas normales. Como salir a la calle.

Esta mañana me he duchado y me he lavado el pelo; una hazaña, teniendo en cuenta mi estado. Tengo que realizar un enorme esfuerzo para quitarme el pijama aún caliente del sueño y meterme en la ducha. Cada vez resulta igual de doloroso. Sí, duermo en pijama como cuando era pequeño. Es mi manta protectora. Contra la angustia, los malos espíritus y contra cualquier ser malvado y perverso que pudiera entrar en mi dormitorio. A veces permanezco tumbado en la oscuridad e imagino que hay alguien en el apartamento. Hay muchos rincones, vestidores y armarios en los que esconderse. Me alojo en el único apartamento habitado de todo el edificio. El resto son oficinas. No, ahora me confundo. Hay otro apartamento en el mismo piso que el mío. Pero pertenece a una familia que vive en el extranjero, en algún lugar de Arabia Saudí, creo. No sé cuándo volverán.

Esa es la razón de que la casa sea silenciosa por las noches. Muy silenciosa. Al otro lado de sus paredes ocurre otra cosa. Transcurre la vida urbana.

He bebido una taza de café y me he obligado a comer dos rebanadas de pan con queso. Necesito energía para poder superar el paseo que tengo ante mí. Siempre leo mientras como. En este momento se trata de *La habitación roja* de August Strindberg. Durante un corto período de tiempo se lo solía leer a papá en alto cuando quería descansar los sábados por la tarde. Recuerdo que una vez empecé a sangrar por la nariz. Quedó una mancha roja en el libro. El rastro aún hoy es visible.

Hace unos días, cuando saqué el libro, que llevaba mucho tiempo guardado, se cayó una fotografía olvidada entre sus páginas. Era una foto de papá, tomada en la barca sobre la arena. Viste pantalones cortos, una camisa azul celeste y sonríe con picardía a la cámara. Frunce el ceño, tal como solía hacer. No creo haber visto una fotografía de papá donde esté realmente contento. Podía hacer muecas y esbozar una sonrisa, pero nunca reía cuando alguien le hacía una foto.

Mamá y papá se divorciaron cuando yo tenía cinco años y después de eso apenas volvieron a verse. El día antes de que yo cumpliera trece años murió en un accidente de tráfico. Tengo pocos y fragmentarios recuerdos de él pero las imágenes aparecen en mi cabeza de vez en cuando. Su nuca oscura cuando conducía, cómo aceleraba en la cuesta con un bache en el campo de forma que los tres niños gritábamos de alegría en el asiento de atrás. Su manera inimitable de comer panecillos que hacía que pareciesen deliciosos, cómo inspiraba por la nariz, la piel seca de sus manos y cómo echaba la cabeza hacia atrás cuando se reía. Su barriga era redonda y uno podía intuir dónde se encontraba el ombligo bajo el jersey. Papá despedía un agradable olor a loción de afeitar, había una botella de Paco Rabanne en su repisa del baño.

Recuerdo que durante unas vacaciones en Norrland jugamos en las aguas negras y profundas de un lago en el bosque. Papá metió bulla y nos persiguió por el agua. Me reí tanto que me desternillaba cuando me atrapó y acabé entre sus brazos grandes y húmedos.

Trabajaba en el continente y solo venía a casa los fines de semana. Recuerdo cómo mamá limpiaba y tarareaba antes de que llegase. Preparaba una buena comida, ponía velas en la mesa, sacaba una botella de vino y servía filetes con patatas y salsa bearnesa. Cuando por fin aparecía el viernes por la tarde, los niños lo esperábamos entusiastas en el recibidor como si fuera el rey quien venía de visita.

Nunca me dieron una explicación sobre el divorcio. Solo que había ocurrido algo que mamá no podía perdonar. Fue ella la que lo quiso. Sin embargo, después de eso estuvo inconsolable y todo el círculo de conocidos tuvo que emplearse a fondo para ocuparse de ella. Pobrecita, quedarse sola con tres niños. Y tan joven, sin dinero en el banco ni estudios. Los días grises se convirtieron en semanas, meses y años. Nadie tuvo tiempo para las carencias de mis hermanos y las mías. Acabamos en la sombra. Y allí permanecimos.

En realidad, yo he sido una sombra desde que nací. Alguien que no tiene derecho a vivir. Me pregunto por qué vine al mundo.

Mamá nunca quiso tenerme, ella misma me lo contó.

Siempre decía que le parecía un milagro que yo fuera tan alegre de pequeño, pues ella se sintió desesperada durante el embarazo. Primero le molestó saber que estaba embarazada, luego se pasó los días llorando mientras yo crecía en su barriga. Apenas se notó que esperaba un bebé hasta el final. Tan fuerte era su deseo de negarme.

Tenía catorce años cuando oí la historia por primera vez. Ella la contó como si se tratara de una anécdota divertida. No recuerdo haber reaccionado de una manera especial. Me comporté como de costumbre, supongo. Lo acepté. Recibí la ofensa sin inmutarme. De la misma manera que me resignaba con todo lo que me decía, sin importar lo degradante que fuera. Puedo oír su voz resonando en mi cabeza.

«¡Y mira que a pesar de sentirme tan miserable por estar embarazada, tú estabas feliz cuando saliste! ¡Y desde el primer momento!»

Vaya, mamá. No me digas. ¿Por qué me cuentas que fui un niño no deseado? No tengo la más mínima idea.

Ahora ya me he vestido. Saldré por la puerta, tomaré el ascensor y me mezclaré con la gente en la calle. Inspiro. Bien hondo.

Line llamó a Knutas mientras este se dirigía por el pasillo a la reunión matutina del grupo operativo. Había salido de casa tan temprano que ella aún no se había despertado. Line, que era danesa, iba camino de su trabajo como comadrona en el hospital de Visby. Había adquirido la costumbre de darse un paseo antes de desayunar en uno más de sus innumerables intentos por perder unos kilos. Ahora probaba el método del índice glucémico (IG). La consecuencia fue que cuando cocinaba las comidas se limitaban a carne, pescado y ensaladas. Las patatas, la pasta y el arroz se sustituyeron por lentejas y judías, algo que ni los niños ni Knutas apreciaron. Sus protestas consiguieron que, por lo menos, incluyera pasta integral.

—Buenos días —jadeó sin aliento—. ¿Cómo te va?

—Bien, gracias. Bastante atareado. Ahora vamos a tener una reunión.

—Te llamo porque Nils se encuentra mal.

—¿Qué le pasa?

—Por la mañana resultó casi imposible despertarlo y me dijo que apenas pudo dormir, que le dolía mucho la tripa.

—¿Y eso?

—Siente pinchazos, pero no ha vomitado ni tiene fiebre. Le he dejado que se quedara en casa.

—Has hecho bien. Hoy estaré bastante ocupado aquí, pero tal vez quizá pueda pasarme un rato por casa.

Line lo tenía más difícil, pues debía cumplir guardias.

—No estaría mal. Sé que estás muy ocupado, ya hablaremos más tarde.

—Llamaré a Nils.

—No lo llames ahora, está durmiendo.

—De acuerdo. Un beso.

—Un beso.

La inquietud se apoderó de él. Últimamente Nils no se había comportado como de costumbre y quizá no se debiera solo a la pubertad.

Con el rostro del hijo en la mente, entró en la sala de reuniones del grupo operativo para asistir a la primera reunión del día.

El fiscal Birger Smittenberg ya había llegado; hojeaba concentrado el periódico. Le lanzó una mirada a Knutas y saludó distraído. Wittberg y Karin estaban sentados con las cabezas juntas y charlaban en voz baja. Faltaba Lars Norrby, el portavoz. Disfrutaba de unas vacaciones de dos meses y navegaba por el Caribe con sus hijos. En su ausencia, Knutas tenía que ocuparse de la prensa, pero no le importaba. Era mejor así. Norrby y él no estaban siempre de acuerdo sobre la información que debían revelar.

Knutas se acababa de sentar a la mesa en su sitio habitual cuando apareció Sohlman. El inspector de la Científica tenía el rostro ceniciento y parecía no haber dormido en toda la noche.

Se dejó caer en una silla al lado de Karin, que le dio una palmada en el hombro. Sohlman se estiró para alcanzar el termo de café que había sobre la mesa.

—Buenos días —saludó Knutas—. Todos sabéis lo ocurrido. El cadáver de Viktor Algård se encontró ayer por la tarde en el interior del palacio de congresos. Según la evaluación preliminar de la forense, lo envenenaron con cianuro. También tenía una herida en la cabeza; encontraron manchas de sangre en una mesa junto al bar y en el suelo. Por las marcas que había en el suelo, el asesino arrastró el cuerpo hasta el ascensor, lo más probable es que lo hiciera para esconderlo. Aún no sabemos cómo se hizo la herida de la cabeza. El cuerpo saldrá hoy por la tarde en barco hacia Estocolmo, al Instituto Anatómico Forense de Solna. Esperemos que mañana puedan hacer la autopsia. Sohlman, ¿nos puedes contar lo que sabemos de las heridas y del lugar del crimen?

Knutas cabeceó hacia su colega, quien se puso en pie y se colocó junto a la pantalla de proyección que había dispuesta al fondo de la sala.

—Primero le echaremos un vistazo a la víctima. Hay una serie de circunstancias que hacen que el caso sea particularmente interesante. Como podéis observar, la piel tiene un tono rosado, ha desarrollado la lividez post mórtem con una coloración rojiza o sonrosada. Eso apunta a envenenamiento por cianuro, ya que este veneno provoca que se obstruyan las vías respiratorias e impide que el oxígeno llegue a la sangre. Además, el cuerpo despedía un fuerte olor a almendras amargas, algo característico de ese tipo de envenenamiento.

—No sé nada del cianuro —apuntó Karin—. Pero debe de ser un método bastante inusual para matar a alguien. Solo he oído hablar de ello en viejas novelas policíacas.

—Sí, es cierto, yo nunca he tratado ningún caso de asesinato con cianuro —corroboró Sohlman—. Pero sí un par de casos de suicidio. Es letal. Seguramente se trate de cianuro potásico; es un compuesto cristalino fácil de disolver en agua.

—¿Qué te hace pensar eso?

—Es la forma más sencilla de manipularlo y transportarlo. Se guarda en pequeñas ampollas de cristal y solo hay que verter el contenido en un vaso de agua, un refresco o lo que sea.

—¿Y qué ocurre con el alcohol? —preguntó Karin.

—No se disuelve en alcohol, pero el asesino pudo haber disuelto primero el cianuro en agua, antes de verterlo en la bebida. Si es que fue eso lo que sucedió cuando envenenaron a Algård. No lo sabemos, es algo que uno no se bebe por las buenas. El asesino tiene que estar familiarizado con el cianuro. Manejarlo conlleva ciertos riesgos; entre otros, es peligrosísimo inhalarlo. El ácido cianhídrico fue lo que los nazis utilizaron para gasear a los judíos en los campos de exterminio durante la Segunda Guerra Mundial. Ataca el sistema respiratorio en pocos minutos.

—¿De qué modo? —preguntó Knutas, interesado.

—El cianuro bloquea rápidamente las vías respiratorias, se puede decir que las células se asfixian, e inmediatamente después de haber ingerido el veneno, uno apenas puede respirar. La razón de que no sean extraños los casos de suicidio es que es un método seguro de muerte. Si se ingiere la suficiente cantidad de cianuro, la muerte es irremediable. Y es una muerte rápida. Entre treinta segundos y un par de minutos. El viejo nazi Hermann Göring se suicidó con la ayuda de una cápsula de cianuro cuando fue condenado a muerte por genocidio en el juicio de Nuremberg.

—¿Es difícil conseguirlo?

—Hoy en día se puede comprar de todo en internet. O uno lo puede fabricar, si tiene nociones de química. Quizá también tenga un uso industrial, no lo sé.

—Tendremos que informarnos —indicó Knutas—. ¿Te encargas tú de eso, Thomas?

—Sí, claro. Al mismo tiempo, me pregunto qué clase de persona utiliza veneno para asesinar a alguien. Indica cierto cálculo. ¿Quién es capaz de manejar un veneno tan peligroso?

—Una de las características del envenenador es la falta de contacto físico con la víctima —apuntó Sohlman—. El envenenador observa cómo la víctima ingiere el veneno y luego desaparece del lugar tan pronto como puede. De esa manera no deja ningún rastro. Ni huellas dactilares, ni pelos, ni restos de piel o sangre. Aunque nuestro asesino arrastró al muerto hasta el ascensor, seguramente fue porque se vio obligado a ocultar el cuerpo. Otro aspecto es el psicológico. La muerte por envenenamiento suele ser muy dolorosa, incluso cuando es rápida, lo cual significa que se trata de una cuestión personal; es decir, el asesino y la víctima se conocen, tienen algún tipo de relación.

—Suponiendo que alguien vertiera el cianuro en la copa de Viktor Algård, ¿este no se habría dado cuenta de inmediato de que el vaso olía a algo raro? —sugirió Karin—. ¿No desprende un fuerte olor a almendras amargas?

—Bueno —respondió Sohlman, demorándose y se rascó la barbilla—. Depende. He leído en alguna parte que el cincuenta por ciento de la población no tiene la facultad de percibir el olor de las almendras amargas. Quizá Algård fuera una de ellas. O todo pasó tan deprisa que no le dio tiempo a darse cuenta. También puede ser que lo obligaran. Había una silla caída en el lugar de los hechos. Además, tenía una herida en la cabeza.

Se hizo un breve silencio, como si todos los presentes intentaran imaginar qué había sucedido en la sala durante la fiesta nocturna. Knutas lo rompió.

−Dejemos las especulaciones de momento y concentrémonos en lo que sabemos sobre Viktor Algård. Yo solo lo conocía de haberlo visto algunas veces en distintas celebraciones que él organizó. ¿Alguien tiene más detalles?

El resto de asistentes reunidos en torno a la mesa negó con la cabeza.

−De acuerdo. −Knutas miró sus papeles−. Viktor Algård tenía cincuenta y tres años; nacido y criado en Hamra. Casado, dos hijos adultos que viven en el continente, un hijo de veintiocho años y una hija de veintiséis. Trabajaba como organizador de eventos desde hacía muchos años y, por lo que sé, le iba bien. Sus problemas comenzaron cuando adquirió un local en el puerto y lo transformó en una discoteca para adolescentes. Todos sabéis lo sucedido desde entonces. Desde el mismo comienzo ha habido mucha controversia en torno al club, y para colmo de males tenemos el caso de la brutal agresión.

Knutas se puso en pie y escribió con un rotulador rojo en la pizarra blanca que había en un extremo de la habitación: «Agresión».

−El delito cometido en su local es un punto importante y tendremos que ocuparnos de eso. Pero hay que tener la mente abierta y amplitud de miras. Según algunos testigos, Viktor Algård estaba tramitando el divorcio. −Escribió la palabra «Divorcio» en la pizarra−. ¿Wittberg?

−El matrimonio Algård entregó la solicitud de divorcio en el juzgado hace una semana. Llevaban casados más de treinta años. Apenas hemos comenzado los interrogatorios y todavía no hemos podido hablar con ninguno de los familiares. A la esposa,

67

Elisabeth Algård, la veremos esta tarde. Esperamos poder interrogar a los dos hijos hoy. Hasta el momento solo hemos podido hablar con los empleados de su empresa, dedicada a las relaciones públicas y organización de eventos. Viktor Algård tenía dos empleados y la empresa se llama Go Gotland. Las oficinas se encuentran en Hästgatan y se ocupan de grandes cuentas, como por ejemplo Wisby Strand, Kneippbyn y el ayuntamiento. He hablado con los empleados, un chico que se llama Max y una chica, Isabella. Solo tienen buenas palabras para su jefe. Además, ambos están bastante seguros de que mantenía una relación sentimental. No lo han visto con otra mujer, pero había mostrado claros signos de enamoramiento. Contaron que había empezado a quedar a comer con alguien de quien no deseaba hablar, se ausentaba largos períodos de tiempo de la oficina y regresaba sonrosado y con un brillo en la mirada. Retomó su entrenamiento en el gimnasio y, además, hace solo unas semanas contrató a un entrenador personal. Les habló a sus empleados sobre un viaje a París en mayo y se había puesto en contacto con una inmobiliaria para encontrar un piso más grande en el centro de Visby, pues pensaba vender su pequeño apartamento.

—Bueno, ahí tenemos otro posible motivo —señaló Smittenberg, y se atusó su bigote reciente—. La amante desconocida.

Knutas escribió «Amante» en la pizarra y se volvió de nuevo hacia Thomas Wittberg.

—Ya que estás en ello, escribe también «Esposa» —sugirió Smittenberg—. Por lo que sabemos, Elisabeth Algård no tiene ninguna coartada.

Knutas lo hizo.

—Una teoría que quizá parezca muy rebuscada, pero que no podemos descartar, es el hecho de que el palacio de congresos haya sido un proyecto tan controvertido —apuntó Wittberg—. Quizá alguien lo asesinó en protesta por la inauguración.

—Una declaración de activistas medioambientales enfurecidos. Muy probable, sí —se burló Karin.

—Debemos tener todas las puertas abiertas —contraatacó Knutas, con voz acerada.

Añadió «Palacio de congresos» y se volvió hacia Wittberg.

—¿Qué hemos sacado hasta el momento de los interrogatorios con el personal de servicio?

—Según uno de los camareros, Algård le dijo que se tomaría un descanso; eso fue justo después de las doce. Fue la primera vez que desapareció en toda la noche. Después no volvieron a verlo.

—¿Nadie lo echó de menos? —preguntó Karin, sorprendida.

—La cena había terminado cuando se tomó el descanso; después empezó el baile y hubo mucho revuelo. Había más de quinientas personas. Las que hemos interrogado hasta el momento pensaban que Algård se encontraba por allí, nadie puede decir con seguridad cuándo fue la última vez que lo vio.

—¿Se fue solo?

—Sí, desapareció escaleras abajo en la zona cerrada.

—El asesino podría haber sido alguien con quien trabajara —señaló Karin—. ¿Sabemos algo de posibles conflictos laborales? Deberíamos añadir eso también.

Knutas escribió «Compañero de trabajo» en la pizarra.

—Hasta el momento no hemos encontrado nada de interés, aparte del escándalo de su discoteca —respondió Wittberg—. Estamos trabajando en ello.

La unidad de la Brigada central de homicidios de Estocolmo llegó a mediodía. No se montó el mismo revuelo que cuando venía Martin Kihlgård; Knutas tuvo que aceptar de mala gana que echaba de menos a su carismático colega. Kihlgård le sacaba de quicio pero por lo menos era entretenido. Karin saludó con frialdad a los colegas recién llegados y mostró un total desinterés. Eso irritó a Knutas. No era culpa suya que Kihlgård estuviera enfermo.

A la cabeza del grupo había un tipo anodino que se llamaba Rylander, y bajo su mando se pusieron de inmediato en marcha con lo más urgente: anotar y estructurar la infinidad de interrogatorios, tanto los que ya se habían celebrado como los centenares que aún faltaban.

Interrogarían a los dos hijos de Viktor Algård en la comisaria, pero la mujer no tenía fuerzas para ir hasta allí. Tuvieron que desplazarse ellos a su casa. Algo que en realidad les convenía, pensó Knutas. Deseaba ver la vivienda de Algård para hacerse una imagen más clara de él como persona. La Policía ya había registrado la casa, sin encontrar en ella nada de interés. Algo que, sin embargo, sí pasó en el apartamento de Hästgatan. En el cuarto de baño hallaron perfume, un secador de pelo y otros artículos femeninos de baño y en el dormitorio había ropa y zapatos de mujer, aunque podrían ser de la esposa. Knutas había decidido esperar al interrogatorio para preguntar sobre ello.

Nada más terminar la reunión, Karin y Knutas se marcharon a Hamra para interrogar a la viuda.

Primero pasaron por Bokströmsgatan y se detuvieron en la casa de Knutas.

—Tengo que echarle un vistazo a Nils —explicó—. Esta mañana le dolía la tripa.

—Pero ¿no tiene ya dieciséis años?

—Los niños te necesitan siempre. No pienses lo contrario. Nunca son demasiado mayores para recibir las atenciones de sus padres.

Knutas esbozó una sonrisa al abrir la puerta del coche. Karin inspiró hondo como si se hubiera atragantado. A continuación tuvo un ataque de tos.

—¿Tú también vas a caer enferma?

Él le dio una palmada en la espalda. Las lágrimas corrían por las mejillas de su colega. Knutas la miró sorprendido.

—Pero ¿qué te pasa?

—No es nada —balbució Karin—. Me he atragantado. Oye, te espero en el coche.

—De acuerdo.

La casa estaba a oscuras y en silencio. Subió con cuidado las escaleras para no despertar a Nils, si es que aún dormía. Abrió la puerta con cuidado. Su hijo se hallaba de espaldas, sentado a su escritorio junto a la ventana. El ordenador estaba encendido. Knutas vio de inmediato la fotografía de Alexander Almlöv que había publicado la prensa.

—Hola, ¿cómo estás?

El hijo se volvió sobresaltado. Tenía los ojos brillantes.

—¿Qué haces en casa?

Knutas se acercó a él, le puso la mano sobre su delgado hombro de adolescente. Llevaba mucho tiempo pensando que Nils estaba demasiado delgado.

—Solo quería ver cómo te encontrabas, chaval. Mamá me dijo que te dolía la tripa.

Knutas contempló con tristeza la fotografía. La hicieron durante el verano en la playa de Tofta. Alexander, bronceado y con el cabello mojado, sonreía a la cámara. Ahora estaba en coma.

—¿Qué haces? —preguntó suavemente.

—Nada. —Nils apagó el ordenador y se acostó en la cama—. Déjame en paz.

—Pero ¿cómo te encuentras?

—Mejor. No es nada grave.

Se dio la vuelta hacia la pared. Knutas se sentó en el borde de la cama.

—¿Piensas en Alexander?

—¿Qué haces aquí? ¿No tienes muchas cosas que hacer con el asesinato y todo eso?

—Sí —suspiró Knutas—. Karin y yo vamos de camino a Sudret. Me espera en el coche.

—Pues vete, yo estoy bien.

—¿Quieres que te traiga algo? ¿Tienes sed?

—No.

—¿Seguro?

—Sí, ya te lo he dicho.

Knutas regresó al coche lleno de inquietud. Tenía que encontrar alguna forma de retomar el contacto con Nils.

Cogieron la carretera de la costa hacia el sol. Hacía un tiempo maravilloso, el sol primaveral iluminaba los campos de cultivo y las praderas. La piel de las vacas resplandecía mientras pastaban en las dehesas y las franjas de mar que aparecían de vez en cuando por la derecha emitían un brillo estimulante. Tras el largo y desolador invierno, era como si alguien descorriera un telón ceniciento que había ocultado la isla durante meses e insuflara de nuevo vida a la naturaleza. Se veían amapolas de color rojo brillante a lo largo del camino y, de pronto, el verano no parecía tan lejano. La temperatura había subido. Knutas bajó el cristal de la ventanilla.

—¡Qué día más bonito! —dijo, y estudió a Karin con la mirada.

—Sí, es cierto.

—¿Cómo te encuentras en realidad?

—Bien, gracias.

Ella le lanzó una mirada y sonrió. Tenía una boca algo grande para su rostro pequeño y los incisivos separados, lo que le daba un aire divertido.

—Últimamente no hemos tenido tiempo de hablar.

—No.

—Parecías un poco deprimida.

—¿Eso crees?

A Karin se le nubló la expresión. Estaba claro que no deseaba hablar del tema. Continuaron el trayecto en silencio.

Knutas volvió a mirar por la ventanilla y se preguntó qué podría apesadumbrarla. Llevaba trabajando con Karin más de quince años y era su persona de confianza. Por lo menos, desde su punto de vista. Él le contaba todo, tanto los problemas familiares como cualquier otra cosa. Era una buena oyente, lo apoyaba y le daba consejos. Pero cuando se trataba de la vida privada de Karin, la historia era diferente. Tan pronto como la conversación versaba sobre ella se volvía reservada y silenciosa.

Hacía unos años la nombró comisaria adjunta de homicidios y su sustituta, lo cual levantó cierto revuelo en la comisaría, aun cuando la mayoría lo tomó de forma positiva. Hubo comentarios malintencionados de policías de cierta edad que no soportaban el ascenso de colegas mucho más jóvenes, y menos aún de mujeres. Que Karin fuera tan menuda no le facilitó ganarse el respeto. Además, el hecho de no vivir según las normas establecidas, daba pie a todo tipo de rumores. A pesar de haber cumplido cuarenta años, seguía viviendo sola con *Vincent,* su cacatúa. El tiempo libre lo dedicaba al fútbol, era entrenadora y jugadora de un equipo femenino.

—¿Sabes algo de Kihlgård? —preguntó Knutas para cambiar de tema.

—Sí; estuvo internado en el Karolinska una semana y le hicieron infinidad de pruebas, pero ahora está en casa. No saben qué le pasa.

—Yo ni siquiera sabía que hubiera estado internado; ¿qué síntomas tiene?

—Debilidad general, malestar, mareos.

—¿Cuánto tiempo tardarán en darle los resultados?

—Una o dos semanas.

—Deberíamos enviarle unas flores.

—Me parece bien.

Observó a Karin. Parecía más cansada de lo habitual.

—Sabes que puedes hablar conmigo si hay algo que te preocupa. Estoy a tu disposición.

—Sí, Anders. Ya lo sé. Podemos hablar de ello en otra ocasión, ahora no.

—¿Seguro?

—Seguro.

Knutas cambió de tema para romper la tensa atmósfera que se había formado.

—¿Qué piensas del asesinato de Algård? ¿Cuál crees que pudo ser el motivo?

—Es difícil de decir. Hay unos cuantos, pero no creo que sea una coincidencia que hayan asesinado a Viktor Algård solo un par de semanas después de la agresión a Alexander Almlöv, si tenemos en cuenta todos los conflictos que han aparecido últimamente acerca de su persona.

—Entonces, ¿quién podría haberlo asesinado?

—Lo más probable es que fuera alguien cercano a Alexander, o alguno de los porteros, ya que ambos se mueven en círculos criminales, o un fundamentalista chiflado que está harto de la violencia juvenil y quiere aplicar la ley con sus propias manos. Tenemos toda clase de variantes con las que jugar. No obstante, en nueve de cada diez casos, el asesino se encuentra entre los miembros de la familia. Puede haber sido uno de ellos.

—Quizá no sea una coincidencia que Algård estuviera tramitando el divorcio.

—Puede ser. Y eso de la amante es extraño —apuntó Karin, pensativa—. Tenemos que encontrarla. ¿Sabrá su mujer que su marido le era infiel? Quizá no, si la relación es reciente, pero alguien en su círculo de amigos podría saber algo. ¿Asistió a la fiesta?

—Quizá. Ya veremos lo que sacamos de los interrogatorios. Puede que ni siquiera sepa que lo han asesinado.

Cuando Karin y Knutas llegaron a la taberna de Hamra se detuvieron en el aparcamiento desierto. La taberna era muy popular durante los meses de verano, pero ahora estaba cerrada. Unas señales indicaban que el Coconut Bar se situaba a la izquierda y Pepes Texmex a la derecha. Las rústicas mesas de madera se hallaban apoyadas contra la pared, y en el restaurante no había un alma. En un deteriorado tablón de anuncios junto al aparcamiento colgaban unas cuantas noticias: «Mercadillo en Burgsvik», «Aprende a tejer en Havdhem», «Reunión de Alcohólicos Anónimos todos los martes en la casa parroquial de Hablingbo», «Trasquilador de ovejas barato», «Gato desaparecido».

–Aquí tenemos que girar a la izquierda, hacia el mar –indicó Karin, y se adentró en un camino de grava.

El paisaje era llano y consistía principalmente en campos de cultivo. Esta era tierra de agricultores, las granjas se sucedían unas a otras. Vacas rebosantes de salud pastaban en los prados y los rebaños de ovejas los observaban al pasar. El mar relucía en la distancia. Se hallaban casi en el extremo sur de Gotland, lejos de su comarca.

Siguieron por un sendero más estrecho que corría junto al mar. La granja que se encontraba al final del camino pertenecía a la familia Algård. Al entrar en la explanada de gravilla frente a la fachada, dos galgos aparecieron ladrando. Knutas, que tenía miedo a los perros, descendió del coche indeciso y no perdió de vista a los dos animales. Karin los llamó y al momento daban saltos de alegría a su alrededor. La puerta de la casa se abrió y escucharon un silbido corto. Los perros interrumpieron el juego de golpe y corrieron hacia su dueña.

Elisabeth Algård los invitó a pasar. Tomaron asiento en la gran cocina campestre provista con todos los encantos posibles: cortinas de algodón de cuadros blancos y azules, vigas y suelo de madera, una chimenea de ladrillo visto y una mesa abatible, la más grande y más rústica que Knutas había visto en su vida. Los enormes ventanales ofrecían unas amplias vistas de los campos y el mar a lo lejos. La viuda les sirvió café y bollos sin preguntarles si querían. Ahuyentó a los perros fuera de la cocina, cerró la puerta y emitiendo un suspiro de molestia se sentó en una silla frente a los policías. Era de constitución delgada y fibrosa, vestía vaqueros y una blusa de algodón de manga corta. Tenía el pelo lacio, ceniciento y recogido con una pinza en la nuca, el rostro sin maquillar, los labios delgados; la boca formaba una raya fina. No era una belleza, pero tenía unos rasgos bonitos y limpios. Mientras servía el café miró a Knutas a los ojos.

—¿Qué quieren saber?

—Antes que nada queremos darle el pésame. Después, desgraciadamente, tendremos que hacerle algunas preguntas. ¿Cuándo vio a Viktor por última vez?

—El sábado por la tarde, antes de que se fuera a la fiesta.

—¿Cómo estaba?

—De un humor maravilloso, aunque intentara ocultarlo.

Knutas la miró sorprendido.

—Viktor quería divorciarse —dijo, lacónica.

—Lo sabemos; ¿nos puede contar la razón? —preguntó Karin, y le dio un mordisco a un bollo.

—Me pilló de improviso, no entendí nada. ¡Por Dios, pero si llevábamos treinta y dos años casados! Tenemos dos hijos mayores, esta granja con animales y mi taller. Viktor tenía su empresa; llevábamos una buena vida. Todo era tranquilo, agradable, y los días transcurrían sin problemas. Él quería destruir todo lo que habíamos construido juntos.

—¿Cuándo le contó que deseaba divorciarse?

—Hace un par de semanas. Justo después de la agresión. Al principio creí que era por eso, que habían influido la publicidad y todas las críticas recibidas. Pero me dijo que no tenía nada que ver.

—¿No dio ninguna explicación?

—¿Explicación? No tenía ninguna explicación. Lo único que dijo fue que quería vivir su propia vida. ¡Vaya tontería! Echaba de menos dedicarse a sí mismo, a su propia felicidad. Solo se vive una vez, dijo, y no quiero convertirme en un amargado.

La viuda movió la cabeza.

—¡Amargado! ¿Cómo puede alguien pronunciar esa palabra viendo todo lo que hemos conseguido? Dos hijos bien educados que se han convertido en personas responsables con una vida estable; una granja que hemos reformado por completo y que está considerada como una de las más bonitas de Gotland. Vivimos en un enclave natural junto al mar que tanto amamos los dos. Tenemos perros y gallinas que nos dan cada mañana los mejores huevos para desayunar. Tengo mi telar del que hoy en día puedo vivir, y él su empresa y su discoteca, que iba de maravilla, al menos hasta la agresión. Nos podemos permitir viajar y hacer las cosas que nos apetecen, comemos bien a diario. Y él habla de amargura y de darle por fin prioridad a su vida. Lo siento, pero no entiendo nada.

La voz de Elisabeth Algård había subido de tono, se inclinó sobre la mesa y miró a Karin y a Knutas como si deseara convencerlos. Karin se aferraba a la taza de café. Elisabeth Algård prosiguió como un río desbordado.

—Y quería destruir todo esto, arrasarlo. No solo no le importaba yo, sino que estaba dispuesto a destrozar mi existencia. Y la de los niños. Tampoco se preocupó por ellos. No, solo pensaba en sí mismo. Me dijo que quería divorciarse una semana antes de mi cumpleaños. Todo un detalle. Y el próximo verano íbamos a pasar un mes a Italia toda la familia; íbamos a alquilar una casa en la Toscana. Esas podrían haber sido nuestras últimas vacaciones juntos, pues en cualquier momento los hijos tendrán sus propias familias. Nuestros amigos tampoco lo comprendieron, no conseguían entender por qué deseaba abandonarme a mí y todo lo demás. Pensaban que se trataba de un antojo, una crisis de la edad. Pero no sé… Y entonces, ¿qué pasa? Que va y se muere un par de semanas después. Eso le duró el dedicarse a sí mismo. Si no fuera tan triste, me moriría de risa. Sí, lo haría. Toda la situación es completamente absurda.

Por fin guardó silencio y bebió un buen sorbo de café. Elisabeth Algård no se comportaba como Knutas había esperado. La viuda afligida, desconsolada. Parecía más bien enfadada. Comprendió que llevaba un par de semanas pensando en ello sin parar.

—¿Tenía Viktor algún enemigo conocido? —preguntó Knutas—. ¿Alguien que quisiera hacerle daño?

—Claro que los tenía. Después de la paliza a ese muchacho de dieciséis años a las puertas de la discoteca se enemistó con medio Gotland. Algunos incluso lo acusaron de ser el culpable de que casi mataran al chico. Y luego esto del divorcio. A todos nuestros familiares y amigos les sorprendió su decisión, nadie lo entendió. Pero es absurdo pensar que alguien pudiera asesinarlo por eso.

—¿Qué pensaba Viktor de la agresión?

—Le pareció algo espantoso. Después se sintió conmocionado y le echaba la culpa a todo menos a sí mismo. Era culpa de los padres que no se preocupaban suficientemente de sus hijos, de los porteros que no actuaron con la premura y contundencia necesarias cuando vieron qué pasaba, de la Policía que debería poner más vigilancia a la salida de la discoteca cuando sabía lo que sucedía con las borracheras y las peleas. Se sintió abatido y acudió a la casa de la madre del muchacho con flores pero lo echaron de malas maneras. Ella lo culpó. Dirige el restaurante Klostret, que se encuentra al lado de la discoteca, y Viktor sostenía que ella, al margen de la agresión, estaba enfadada con él porque las noches tumultuosas de discoteca espantaban a sus clientes.

—¿Se refiere a Ingrid Almlöv?

–Sí. Y sé que a Viktor le sentó muy mal que ella no quisiera recibirlo. Lo intentó varias veces.

–¿Se pudo crear nuevos enemigos a causa de la agresión o fue sencillamente por la forma de dirigir el club? –preguntó Karin.

–Por supuesto. Los porteros se enfadaron y él los acusó de descuidar el trabajo; corrían el riesgo de perder su empleo. Y además, están los padres y demás personas que causaron problemas desde el mismo momento en que abrió el local.

–Pero que usted sepa, ¿recibió amenazas concretas?

–No.

Knutas reflexionó sobre lo que les había contado la viuda. Tenían que investigar minuciosamente el asunto de la agresión y el local de Viktor. Él mismo llamaría más tarde a Ingrid Almlöv. Había hablado con ella unas cuantas veces después del accidente de su hijo, pero no habían tratado el asunto. Pensar en sacar el tema mientras Alexander se debatía entre la vida y la muerte le hacía sentirse incómodo.

–Ahora, piénselo bien –terció Karin–; dejando a un lado todo esto de la agresión y el divorcio, ¿se había comportado Viktor de forma extraña? Puede tratarse de algo que sucedió hace tiempo, no es necesario que sea algo acontecido hace poco.

Elisabeth Algård cogió un bollo del plato y masticó despacio mientras parecía pensar.

–Lo único que se me ocurre es el caso de Sten Bergström, que vive en Holmhällar. Hace unos años inició una actividad parecida a la de Viktor. Al principio solo se trataba de eventos aislados. Primero organizó una gran boda aquí en la comarca que fue todo un éxito. Sí, hasta fuimos invitados. Después de aquello tuvo tantas solicitudes de bodas y otra clase de fiestas que creó su propia empresa especializada en bodas campestres, eventos más sencillos que los que organizaba Viktor. Pero el problema surgió con el nombre que le puso a la empresa, ridículamente parecido al de la de Viktor, que se llama Go Gotland. Sten Bergström llamó a la suya Goal Gotland. Pasado un tiempo, Sten empezó a recibir encargos de antiguos clientes de Viktor. Su empresa creció.

El descontento de Viktor fue en aumento y hasta empezó a preocuparle la competencia. Luego se disparó el rumor de que las fiestas de Sten Bergström degeneraban con frecuencia en borracheras y peleas. Creo que le retiraron el permiso de servir bebidas alcohólicas, y al poco tiempo quebró.

—¿Hace mucho de eso?

—Tres o cuatro años. No volvieron a hablar nunca más después de la quiebra. Ese es el único enemigo que se me ocurre.

Knutas anotó el nombre. Karin cambió de tema.

—Y sus hijos, ¿qué piensan del divorcio?

—Es difícil de saber, ahora que son mayores. Fredrik tiene veintiocho años y Sofia, veintiséis. Ambos viven en Estocolmo. Ninguno de ellos pareció indignarse, aunque es difícil saber lo que piensan en realidad. Los hijos acaban teniendo un conflicto de lealtad, así que prefieren no tomar partido.

Elisabeth Algård suspiró hondo y sirvió otra taza de café.

—¿Cómo reaccionó usted al enterarse de la muerte de Viktor? —preguntó Karin.

—Al principio, cuando la Policía vino a comunicarme la noticia, tenía tal migraña que no tuve fuerzas de reaccionar. Y además, sospechaban que se trataba de un crimen. Después, cuando el dolor de cabeza comenzó a remitir, me costó asimilarlo. Más tarde, cuando poco a poco comprendí lo ocurrido, me sentí enfadada. Porque había muerto y ya no podría hablar con él. Porque aún no entendía por qué quería separarse. Cómo se le había ocurrido la idea. Estoy disgustada porque nunca tendremos la oportunidad de resolverlo. Me siento engañada. Vivo en un vacío, no tengo fuerzas para hacer nada. Ahora se me vienen encima muchas cosas: el entierro, la herencia, el testamento y los asuntos económicos. Qué voy a hacer con la granja, si me puedo permitir seguir viviendo aquí. La empresa de Viktor… bueno, todo. Es como si no tuviera tiempo para el duelo. Solo infinidad de cosas prácticas que arreglar y, además, mi propia rabia, con la que no sé qué hacer.

Knutas sintió verdadera lástima por Elisabeth Algård. Había esperado adrede a hacerle la pregunta sobre la posible relación sentimental de su marido.

Karin le facilitó la labor al abordar aquel tema tan delicado.

—Tenemos que preguntarle una cosa más —comenzó—. ¿Sabe si Viktor había conocido a alguien? ¿A otra mujer?

Los ojos de Elisabeth Algård se empequeñecieron.

—¿A qué se refiere?

Karin no supo qué decir y le lanzó una mirada a Knutas en busca de ayuda. No la encontró.

—Hemos hablado con algunas personas que creen que Viktor tenía una amante.

La viuda se puso en pie, se colocó junto a la ventana, casi dándoles la espalda a los dos policías, y miró hacia el exterior. Su voz era seca, serena.

—¿Quién dice eso?

—Algunos testigos nos han contado que durante estos últimos meses sospechaban que estaba enamorado. Esto puede ser de vital importancia en la investigación. Piénselo bien. ¿Notó algún cambio en su conducta? ¿Alguna señal que pudiera indicar algo así?

—Nada. No he notado absolutamente nada.

—¿Suele dormir en el apartamento de Viktor de Visby?

—No.

—¿Cuándo fue la última vez que estuvo allí?

—Hará más de un año por lo menos. Nunca tengo nada que hacer en la ciudad.

—Entonces, ¿no guarda cosas personales allí, tales como ropa, artículos de baño?

—No.

Elisabeth Algård se dio la vuelta, resignada.

—¿Han encontrado eso en el apartamento de Viktor?

Knutas no pudo por menos que asentir.

Johan pasó otra noche más sin apenas poder dormir. Elin se despertó diez veces por lo menos y tosía de tal manera que parecía que sus pulmones fueran a explotar. Llamó al servicio de asistencia médica y a urgencias pero le aconsejaron que se calmara, le diera jarabe para la tos y esperase. Típico, pensó irritado, solo porque quieren ahorrar con los malditos recursos. Se arrepintió de no haberla vacunado contra la tos ferina, pero tanto Emma como él consideraron que la vacuna era demasiado nueva y estaba aún poco probada.

Por fin ella concilió el sueño a las cuatro de la madrugada y aún dormía cuando Johan se levantó. Emma se quedaría en casa con Elin todo el tiempo que hiciera falta. Él había cuidado de su hija la semana anterior y ahora estaba desbordado de trabajo a causa del asesinato de Viktor Algård. Además, Emma se encontraba extenuada y reconoció sin ambages que no le apetecía ir a trabajar. Trabajaba como maestra de primaria en la pequeña Kyrkskola, a las afueras de Roma. A los niños les embargaba el espíritu primaveral, de modo que se mostraban más alterados que de costumbre.

Afortunadamente Pia y él se habían puesto de acuerdo en que no hacía falta que él fuera a la oficina, ella lo recogería en Roma camino del sur. Puso la cafetera y se metió en la ducha. Como era de esperar, los periódicos de la mañana dedicaban mucho espacio al asesinato en el palacio de congresos. La noticia cubría las portadas de los dos periódicos locales y unas cuantas páginas interiores. Ninguno de ellos desvelaba la identidad de la víctima sino que hablaban de «una conocida persona del mundo de la restauración de Visby». Una vez que Johan leyó con detenimiento los artículos sobre el asesinato, sus ojos se fijaron en una noticia del *Gotlands Allehanda*. Trataba del estado de salud del muchacho maltratado. Joder, se había olvidado por completo de él. Seguía sin cambios. Tengo que acordarme de investigarlo a lo largo del día, pensó.

Pia llegó a las nueve en punto como habían acordado y condujo hacia el sur.

—Creo que debemos empezar por Birgitta Österman; suele cuidar los perros de los Algård.

—¿Querrá cooperar?

—Ya he hablado con ella —sonrió Pia.

—Claro. Debería habérmelo imaginado.

La granja a la que se dirigían se encontraba un poco antes que la de los Algård, en el lado opuesto del camino. Se trataba de una imponente construcción de piedra caliza con establos a ambos lados y una dehesa donde unos potros trotaban a su antojo. La puerta se abrió antes de que se apearan del vehículo. Birgitta Österman era una mujer corpulenta de unos sesenta años; les sonrió con amabilidad cuando se presentaron y les pidió que entraran. Declinaron el café de rigor y se sentaron en el jardín. El sol calentaba y apenas soplaba el viento.

—¿Qué piensa del asesinato?

—Bueno, me sentí conmocionada. —Birgitta Österman meneó la cabeza—. Aunque ocurrió en Visby, resulta cercano, ya que somos vecinos.

—¿Cómo era Viktor?

—Si soy sincera, no lo aguantaba. Había algo sospechoso en él, nunca llegué a entenderlo. Claro que era educado como suelen serlo los vecinos, pero había algo que le preocupaba, como si no pudiera relajarse. Siempre tuve la sensación de que no era trigo limpio, no sé por qué, pero así fue. Desde el primer momento lo supe. —Miró pensativa hacia el terreno de los Algård—. Y resultó que no se podía confiar en él, pues de repente quiso divorciarse. Sí, Elisabeth me lo contó hace solo una semana.

A Johan se le encendió una luz. Eso era algo nuevo, pero mantuvo la calma.

—¿Sabe por qué?

—Ella no lo entendía; no, nadie lo entendía. Todo el mundo pensaba que estaría pasando la crisis de los cincuenta. Pero yo comprendí que tenía otra.

—¿Ah, sí? ¿Qué le hace creerlo?

—Yo no creo nada, lo sé.

—¿Cómo puede estar tan segura?

—Porque los vi. No aquí, sino en Estocolmo. Un fin de semana fui a visitar a una amiga que vive en Vasastan. Sí, suelo hacerlo un par de veces al año. Íbamos camino a un restaurante pero primero nos tomamos una copa de vino en otro local. Adivine a quién vi: a Viktor. ¡Con otra mujer! Casi me da algo y no supe cómo comportarme. Se encontraban al fondo del bar, y tan absortos que no tenían ojos para nadie más. Se arrullaban y estaban sentados con las cabezas tan juntas que no había duda de qué se trataba. Después salieron tan deprisa que no me reconoció. Si lo hubiera hecho le habría dado algo.

—¿Cómo era ella? —preguntó Johan, y procuró no resultar demasiado impaciente.

—Pequeña y refinada. Llevaba un abrigo corto y el cabello rubio, estilo paje. Era delgada e iba bien vestida. No llegué a verle el rostro.

—¿Cuántos años tendría?

—Calculo que cuarenta, cincuenta años.

—¿Se lo ha contado a la Policía?

—No, ayer cuando pasaron a hablar con los vecinos no estaba en casa. Me dejaron una nota diciendo que querían hablar conmigo. Pero aún no he tenido tiempo, me he pasado la mañana fuera dando de comer a los animales.

—¿Cuándo vio a Viktor en Estocolmo?

—Bueno, hará un mes, más o menos.

—¿Sabía su esposa algo sobre esta otra mujer?

—Ni idea. Al menos a mí no me dijo nada. Además, eso no es algo que uno comente, no tenemos una amistad tan íntima. Somos más bien conocidas. Y por mi parte, yo no quería decir nada, no soy una cotilla.

Lo primero que sorprendió a Knutas cuando se encontró con los hijos de Viktor Algård en la comisaría fue lo distintos que eran entre sí.

Fredrik era más bien bajo, robusto, de piel aceitunada y el mismo pelo peinado hacia atrás que su padre. Vestía una camisa blanca de algodón y un chaleco de punto a cuadros verdes que hacía pensar en un estudiante americano.

Su hermana Sofia era alta y rubia, lucía una camisa violeta holgada, *leggins* negros y zapatos de tela estampada. Llevaba unos enormes pendientes de plata y un pañuelo palestino.

Estaban sentados muy juntos, tensos y en silencio, en un banco del pasillo junto a la sala de interrogatorios.

Karin y Knutas prefirieron empezar por el hijo.

Se sentaron y Fredrik Algård solicitó de inmediato un vaso de agua. Knutas puso en marcha la grabadora.

—Quiero comenzar dándote el pésame. Como comprenderás tenemos que hacerte una serie de preguntas.

—Sí, claro.

El joven los observó con atención. A Knutas volvió a sorprenderle el asombroso parecido con Viktor Algård.

—¿Cuándo viste a tu padre por última vez?

—El día de su cumpleaños, hará un par de meses. Nació el último día de febrero.

—¿Qué impresión te causó?

—Lo vi como de costumbre. Estuvimos en la casa de Hamra. Hubo una gran fiesta, vinieron alrededor de cincuenta personas. A papá le gustaba celebrar a lo grande.

—¿Qué quieres decir?

—Bueno, era un auténtico juerguista, también fuera del trabajo. Seguramente esa fuera la razón de que se dedicara a ello. A papá le gustaban las fiestas y siempre que tenía oportunidad organizaba algo grande.

Knutas percibió un deje de desprecio en la voz. Karin regresó con un vaso de agua y se sentó en una silla al fondo de la habitación. Cumplía el papel de testigo del interrogatorio.

—¿Y qué te parecía eso?

—No me importaba. Me daba igual.

—¿Qué clase de relación mantenías con tu padre?

—Muy poca. Cuando éramos pequeños se pasaba el día trabajando y casi no paraba en casa. Así que, en realidad, apenas nos conocíamos. Me siento más cercano a mi madre.

—¿Cómo reaccionaste ante el divorcio?

—Pensé que ya era hora.

—¿Por qué?

—Se encontraban a miles de kilómetros de distancia el uno del otro, en todos los aspectos. Tenían intereses distintos, no les gustaba hacer las mismas cosas, hasta defendían diferentes opiniones políticas: bueno, papá casi no tenía una opinión propia. Era bastante ignorante. Mamá devoraba los libros, papá se conformaba con el periódico vespertino y revistas elegantes que hablaban de gente famosa. Tenían diferentes opiniones en casi todo, ni siquiera les gustaba la misma comida. Mamá es vegetariana y papá adoraba la carne poco hecha. Ella se interesaba por la Cruz Roja y otros proyectos humanitarios, mientras que a él no le importaban los problemas globales. Recuerdo que se enfadó con mamá cuando amadrinó a un niño en Guatemala.

»A ella le interesa la familia de una forma completamente distinta a la de mi padre. Solía venir a visitarnos a Estocolmo con cierta frecuencia. Él nunca la acompañaba. Ella tiene sus amigos y relaciones, viajan y van al teatro. Mamá lee mucho y está al día sobre lo que ocurre en el mundo. Papá nunca tenía nada razonable que decir si alguien discutía un asunto de política internacional o un tema de actualidad.

Aparecieron unas manchas sonrosadas en el cuello de Fredrik Algård. Bebió varios sorbos de su vaso de agua.

–¿Sabes si tu padre tenía enemigos?

–Se granjeó unos cuantos durante su vida. Ya se sabe cómo es el mundo de las fiestas y los famosos. Una superficie pulida, pero llena de porquería por debajo.

–¿Qué quieres decir?

–A papá solo le interesaban las personas que podían resultarle útiles. Los ricos, los afortunados y los famosos. Si un artista que lo consideraba un verdadero amigo caía en desgracia, dejaba de interesarle. Si un escritor famoso dejaba de vender libros, si a un político de renombre se le descubrían problemas con la bebida o si un actor se encontraba al borde de la ruina, de pronto, dejaban de existir para él.

A Knutas le sorprendió la manera en la que el joven se expresaba. Su sarcasmo era patente.

–En otras palabras, seguro que había muchas personas a las que había decepcionado. Pero no creo que llegaran a tanto como para asesinarlo.

–Y tú, ¿qué sentías por él?

–Si soy completamente sincero, no mucho. Para obtener confianza y respeto uno tiene que predicar con el ejemplo, ¿no es cierto? Uno tiene con sus hijos la relación que se merece. Todo depende de cómo se ha comportado como padre.

Esas palabras hicieron que Knutas pensara en sí mismo. Le asustó lo que vio.

Apartó la sensación de disgusto y prosiguió:

–Parece como si te desagradara.

–No, no puedo decir que fuera eso. Tenía sus cosas buenas, como todo el mundo. Pero ¿quién dice que uno tenga que querer a sus padres? No hay razón para hacerlo. Honrarás a tu padre y a tu madre. ¿Qué mierda es esa? ¿Tengo que quererlo solo porque eyaculó durante unos segundos al dejar embarazada a mamá y nacer yo? Nunca se ha ocupado de mí. Vivíamos en la misma casa por casualidad.

Knutas le dirigió una mirada a Karin. La conversación se tornaba cada vez más desagradable. La ira de Fredrik Algård colmaba la habitación.

—¿Sabes si tu padre recibió alguna amenaza?

—No.

—¿Notaste algún cambio en su personalidad últimamente?

—No; nos vimos, como he dicho, el día de su cumpleaños, y antes en Navidad.

—¿No lo viste cuando tu madre cumplió años hace poco?

—No, ella vino a Estocolmo. Estaba enfadada y triste pues él quería divorciarse. Así que celebramos su cumpleaños en mi casa.

—¿Vives con alguien?

—Sí, con mi novia Sanna. Vivimos en Söder, en Mariatorget.

—¿Y estudias?

—Sí, ciencias políticas en la universidad. También soy licenciado en derecho, pero quiero ampliar mis estudios. Estoy en el último curso.

—¿Cuánto tiempo te quedarás en Gotland?

—Ahora no tengo clases, así que me quedaré una semana, por lo menos. Mamá necesita toda la ayuda y apoyo que pueda darle.

Un vistazo al espejo del ascensor sirve como recordatorio de mi lamentable estado. He adelgazado y tengo una apariencia horrible. Pero estoy compuesto y limpio, eso es suficiente. Hoy voy a salir, lo cual requiere una preparación mental.

Actualmente la vida es una lucha, hay que superar cada momento, aunque de vez en cuando imperen la calma y el vacío. Tengo que pensar despacio. Borrar todo lo demás. Los sueños, las metas y las ambiciones ya no existen. No recuerdo cuáles eran. Si es que alguna vez los tuve.

La siguiente prueba surge cuando tengo que abrir la pesada puerta del portal. El zumbido del tráfico de la ciudad, las personas y los olores me abofetean el rostro con fuerza. No me he dado cuenta de que está lloviendo. Siento frío dentro de mi fina chaqueta; durante el trayecto evito la mirada de la gente. Me encierro en mí mismo, imagino que no existen: gabardinas de tela fina, chaquetas y abrigos, paraguas a rayas, carteras y bolsos en bandolera de piel marrón. Botas de goma y mocasines. Rostros borrosos que pasan de largo, máscaras difusas.

Por fin llego. Siento un ligero pánico al no recordar el código de la puerta. Busco en el bolsillo el trozo de papel, resoplo cuando mis dedos temblorosos lo encuentran. En este momento no soportaría contratiempos.

La habitación es cuadrada y tiene una ventana que da a la calle, una cama a un lado y al otro, una mesa pequeña con dos sillones.

—Anoche tuve un sueño espantoso.

—Cuéntame.

—Soñé que mis dientes ennegrecían y se transformaban en trozos porosos de carbón. Uno tras otro se soltaban y caían en mis manos, que formaban un cuenco. Al poco rato, las encías estaban vacías y las manos, repletas. Con lo joven que soy, pensé desesperado. Mis gritos me despertaron y después, como de costumbre, no pude dormir.

—¿En qué pensaste mientras yacías despierto?

—En mi horrible pubertad. Hacía ya mucho tiempo que no tenía ese sueño, pero era muy recurrente cuando estaba en secundaria.

—Parece ansiedad.

—Eso padecí durante tres años.

—¿Me lo cuentas?

Niego con la cabeza, en realidad no quiero. Sé que cuando saco a relucir mis recuerdos me traslado inmediatamente a esos años. Y me duele. Vuelvo a tener la misma sensación abismal de desesperación. Se halla grabada en mi cuerpo para siempre. Mientras viva.

—Inténtalo.

—Es increíble. Por ejemplo, aún me cuesta mucho ducharme.

—¿Ducharte?

—Sí. Y hace tiempo que dejé el colegio. Aún lo tengo grabado. Los primeros años de escuela yo era muy popular, en primaria y secundaria. En las fotografías de aquel tiempo suelo aparecer alegre, a los compañeros les resultaba divertido, era un poco el payaso de la clase, y también era bueno jugando al fútbol. Me gustaban los deportes y la música, esos eran mis grandes intereses. Me lo pasaba bien en el colegio. Pero cuando empecé séptimo todo cambió.

—¿Qué ocurrió?

—Aún no tengo ni idea de qué sucedió, pero tuvo algo que ver con la muerte de papá. El accidente de tráfico pasó ese verano, entre sexto y séptimo. Mamá y papá llevaban mucho tiempo separados, pero vivíamos en un pequeño pueblo donde todos sabían todo de todos. Ocurrió algo en ese accidente… Nosotros, los niños, estuvimos de colonias durante casi todas las vacaciones estivales. Cuando regresé, la actitud de mis compañeros había cambiado. Me evitaban. Nadie quería estar conmigo.

»Comencé el ciclo superior de educación básica en otra escuela con compañeros nuevos, y de pronto fue como si yo no existiera. Los compañeros de clase me trataban como si fuera aire, nadie intercambiaba una palabra conmigo, apenas se dignaban a mirarme. Durante todo el ciclo superior no hablé con nadie en el colegio. Pasaba los recreos solo, en el comedor, nunca me elegían para jugar, jamás me dirigían la palabra. Me deslizaba como una sombra junto a las paredes. Me hacían el vacío.

—¿Y eso de la ducha?

—¿La ducha?

—Has dicho que te costaba ducharte.

—Sí, la gimnasia era lo peor. Era el más pequeño de la clase, tardé en desarrollarme y parecía un canijo. El resto de niños alcanzó la pubertad. Algunos me sacaban unas cuantas cabezas, se les ensancharon las espaldas y les cambió la voz. Vello y pelos en las piernas y los sobacos. Las nueces, grandes y maduras como ciruelas. Durante la hora de gimnasia intentaba ocultarme en el vestuario. Era un tormento tener que desnudarme delante de mis compañeros. Siempre elegía la ducha del fondo, de espaldas, me enjabonaba con rapidez.

Cierro los ojos; los recuerdos son dolorosos. Me escuece el interior de los párpados. No tengo fuerzas para llorar, me siento algo mareado, pero prosigo.

—Aún hoy puedo oír el sonido del agua correr, voces agudas, bromas y risas. El golpe de las toallas al restallar las unas contra las otras. Peleas de agua, peleas de toallas. Y yo, en una esquina dándoles la espalda a todos. Una verdadera tortura. Y las clases. Jamás me escogían. Cómo resoplaban aquellos a los que les tocaba tenerme en su equipo; nunca me pasaban la pelota. Cuando por las noches estoy despierto en la cama puedo ver sus muecas, oír sus comentarios.

—¿Cómo lo soportaste?

—No lo hice. Al final le pregunté al profesor si podía entrenar el lanzamiento de disco. ¿Te imaginas? El disco, de entre todas las cosas posibles. Y el profesor aceptó. Así que en lugar de jugar al baloncesto o al fútbol con los demás, lo que en realidad era lo peor que me podía pasar, me quedaba solo en la zona verde detrás del gimnasio y lanzaba el disco. Una y otra vez. Al profesor le daba igual, me dejaba hacer. Era lo más sencillo para él.

El silencio se apodera de la habitación. Bebo del vaso que hay sobre la mesa para tragar el malestar. A punto de caer en la oscuridad, no quiero acabar allí. Me aferro al vaso con fuerza, lo sujeto con ambas manos. Tengo que mantener la concentración. ¿Cómo voy a poder regresar a casa? Estoy a punto de derrumbarme. Vuelvo a abrir la boca, las palabras llegan de forma automática. Oigo una voz que me resulta extraña, como si no me perteneciera.

—Si solo hubiera sospechado lo que se me venía encima cuando entré el primer día de clase en séptimo… Tres años de larga oscuridad. Tres años de interminables días negros. La angustia que me embargaba cuando me obligaban a levantarme de la cama. Tres años de humillaciones, aniquilación. ¿Comprendes en lo que eso convierte a una persona? Jamás entendí por qué me despreciaban tanto. He estado completamente solo.

Los recuerdos están grabados en el cuerpo. Mis manos tiemblan de tal manera que tengo que soltar el vaso.

—Y durante todos aquellos años en que te sentiste tan mal, ¿tu madre no notó nada? ¿Qué hizo?

—No hizo nada.

—¿Nada?

—Tuvo que ver claramente que me sentía como una mierda. Por las mañanas no quería levantarme de la cama. Todas las tardes y noches las pasaba solo en mi habitación escuchando música con los auriculares puestos. ¿Entiendes? ¡Todas las tardes! Tanto los días laborables como los fines de semana. Un año tras otro. Durante esos tres años ni un solo amigo vino a mi casa. Nadie me llamó. ¿Y qué hizo mi madre? Nada.

—¿Nunca hablasteis de eso? ¿No te preguntó cómo te sentías?

No soy capaz de responder. El malestar se apodera de mí con toda su fuerza y me siento como si fuera a vomitar en cualquier momento. Mis ojos se nublan. Veo a mi compañero de conversación inclinarse hacia delante y decir algo pero ya no oigo su voz.

No puedo seguir sentado. Me pongo la chaqueta, salgo rápidamente por la puerta, corro todo el camino de vuelta a casa. En la carrera, casi vuelco un cochecito, una mujer maldice a mi espalda. Junto al Konsum derribo un cubo con tulipanes.

Consigo contenerme en el ascensor. En cuanto abro la puerta, salgo disparado hacia el cuarto de baño.

Levanto la tapa en el último momento.

Johan nunca había recibido tantas críticas por una noticia como las que tuvo por el reportaje sobre el asesinato en el palacio de congresos, que se emitió el lunes por la tarde. El telediario regional fue el único que nombró a Viktor Algård, y además, fue el primero en informar sobre el divorcio y la probabilidad de que tuviera una amante. Todo eso causó una acalorada discusión acerca de la ética periodística.

Después de cada emisión, Johan y Pia mantenían una reunión telefónica con la redacción central de Estocolmo y recibieron un buen rapapolvo, sobre todo por haber hecho públicos los datos sobre la amante. El hecho de que las sospechas de la infidelidad de Algård formuladas por parte de su vecina fueran corroboradas por varios de sus empleados no sirvió de nada.

También hubo unas cuantas personas en la redacción que pensaban que era espeluznante que el telediario revelara la identidad de la víctima apenas un día después de que se encontrara su cadáver. Johan se defendió asegurando que era un asunto de interés general en Gotland, ya que Viktor Algård era una persona muy conocida. Además, habían comprobado con la Policía que todos los familiares hubieran sido informados.

En conjunto, Johan, Pia y Max Grenfors, el jefe de redacción, consideraron que los datos eran lo suficientemente relevantes para darlos a conocer, ya que se trataba de un asesinato notable y estos podían ser razones importantes.

A pesar de que Johan se había encendido de verdad al defenderse y había sido totalmente convincente en su argumentación, la incertidumbre se apoderó de él mientras conducía en la oscuridad de la noche de vuelta a su casa de Roma.

Deseaba que Emma aún estuviera despierta. Lo que necesitaba en ese momento era un vaso de vino y poder hablar.

Y a Emma. La echaba de menos. Siempre la echaba de menos. Ahora por fin podía estar con ella, todo el tiempo. Dormir juntos cada noche, despertar juntos todos los días.

Su relación había tenido sus altibajos desde que se conocieron hacía cinco años. Entonces Emma estaba casada con Olle, tenía dos hijos que iban a la guardería y llevaba una tranquila vida familiar en Roma.

Luego conoció a Johan. Él la entrevistó en relación con un caso de asesinato y se enamoró de ella de inmediato. Al poco tiempo, ella se divorció de Olle y se quedó embarazada de Johan. Desde entonces habían tenido una relación tempestuosa. Contra todos los pronósticos, se casaron el verano pasado. Johan comenzaba a dudar de que llegaran a hacerlo cuando de pronto ella aceptó su petición de mano. Cuando por fin llegó el día y él se encontraba a la puerta de la iglesia, ella no apareció. La iglesia de Fårö estaba repleta, la hora de la boda había pasado hacía tiempo y el sacerdote se restregaba impaciente las manos. Anders, su padrino, parecía un perro triste y él solo deseaba desaparecer. Por fin ella llegó jadeando con media hora de retraso junto a su dama de honor. Tuvieron un pinchazo y se habían dejado los móviles en casa.

Desde hacía seis meses llevaban una vida normal en familia con su hija Elin de tres años, y cada dos semanas la familia crecía con la llegada de los hijos de Emma de su relación anterior, Sara y Filip, que tenían diez y once años respectivamente. Johan se mudó a vivir con Emma a Roma y realquiló su apartamento en Södermalm, Estocolmo.

Había sustituido sus compras rápidas en el Seven Eleven por las familiares en Willys, su pizza por comida casera cocinada a horas determinadas. Se había vuelto un experto en salchichas Stroganoff, salsa boloñesa y tortitas. Las mañanas para dormir los

fines de semana se habían transformado en desayunos de cereales con los niños en la cocina, juegos con muñecas y coches de
plástico, programas infantiles en la televisión, parchís, fútbol y
paseos en trineo.

En lugar de pasar las noches en los bares, se dormía frente al
televisor a las diez, con Emma apoyada en su hombro y a veces
un niño o dos en las rodillas. El trabajo no lo absorbía tanto como
antes. Se descubrió pensando en mitad de un montaje en qué haría Elin en la guardería, se estresaba cuando las entrevistas se
prolongaban más de la cuenta ya que los niños tenían piscina o
fútbol, o había alguna reunión de padres en el colegio. De ser
uno de esos que se quedaban más tiempo en el trabajo, pasó a
comportarse como persona que siempre tenía prisa por llegar a
casa. Lo esperaban, lo necesitaban. Adoraba esa situación.

Había oscurecido cuando aparcó junto a la casa. Casi todas las
ventanas estaban iluminadas. Emma estaba despierta.

—¡Hola! —gritó al entrar por la puerta, y apartó de una patada
los diez pares de zapatos y las pequeñas botas de agua con flores
estampadas que había en el suelo.

—Hola —le respondieron desde la cocina. Emma llevaba puesto
su habitual chándal gris con el cabello largo color arena colgán-
dole libremente por la espalda. Tenía los ojos cansados.

La abrazó.

—Hola, cariño. ¿Cómo estás?

—Bien. La tos de Elin ha mejorado. Duerme, gracias a Dios.

Johan subió al piso de arriba. Entreabrió la puerta de la habitación de Sara. Su respiración era pesada y rítmica, siempre tenía
un sueño profundo. Le acarició con cuidado la mejilla y apagó
la lámpara de la mesilla de noche que le iluminaba el rostro. Filip yacía con los brazos estirados encima de la cabeza y la boca
abierta de par en par. Se había quitado la manta. Johan lo observó
un momento. Sentía a Filip como si fuera hijo suyo. Se lo habían
pasado muy bien últimamente: a ambos les gustaba el fútbol y

98

Johan lo había acompañado a un partido la semana anterior. Filip metió su primer gol y celebraron el logro comiendo una hamburguesa.

Y, por último, Elin, cuyo cuarto se encontraba al fondo, junto al de Emma y el suyo. Todos los animales de peluche estaban colocados en orden sobre la cama, a ella apenas le quedaba espacio. Ahí estaba tumbada entre muñecas, conejos, ositos y perros, un mono de brazos largos y un suave elefante. Todos tenían nombre y cuando le daba el beso de buenas noches a Elin tenía que besar a todos ellos, siguiendo un turno establecido. Esbozó una sonrisa y la besó en la frente, lo cual hizo que ella emitiera un tembloroso suspiro, se diera la vuelta y se apretara aún más contra uno de los conejos.

Una vez finalizado el interrogatorio a Sofia y Fredrik Algård, Knutas se sentía confundido. Nunca le había ocurrido que dos hijos de una misma familia tuvieran opiniones tan opuestas sobre su padre. Mientras que Fredrik Algård sentía hacia él algo cercano al odio, Sofia lo subía a los altares. Había sido su mejor amigo, siempre había estado a su lado y la había ayudado en lo bueno y en lo malo. Se encontraba destrozada a causa de su muerte, completamente abatida, y en varias ocasiones rompió a llorar durante el interrogatorio. Según ella, era el mejor padre del mundo.

Knutas bostezó, se restregó el cansancio de los ojos, fue a buscar un café y compró un bocadillo reseco en la máquina expendedora. Hoy tampoco había tenido tiempo de ir a casa a cenar. Era una suerte que Line fuera tan comprensiva. Se había curtido después de tantos años, apenas se quejaba. Además, al ser comadrona, solía trabajar hasta muy tarde. Todo resultaba más fácil ahora que los niños eran mayores. Se le apareció el rostro de Nils. Solo recogería unos papeles, luego intentaría volver a casa antes de que su hijo se acostara.

Pensó en Elisabeth Algård. Sin duda había otra mujer en la vida de Viktor, pero ¿de quién se trataba? Encontrarla resultaba de vital importancia. Se preguntaba por qué no se había dado a conocer, sobre todo ahora que en la televisión se reveló la identidad de la víctima. Aunque eso había ocurrido hacía apenas unas horas. ¿Se habría enterado del asesinato?

Por la tarde habló con los inspectores de la Científica que habían investigado los teléfonos y los ordenadores de Viktor Algård. No encontraron *sms* ni correos electrónicos que pudieran relacionarse con la mujer que buscaban. Ninguna de las personas de su círculo de amistades con las que la Policía había hablado hasta el momento conocía la identidad del nuevo amor del organizador de fiestas. Todo lo que habían encontrado eran los artículos femeninos olvidados en el apartamento de la ciudad.

Sobre la mesa había una caja. Contenía un sujetador y un par de bragas de algodón blanco marca Sloggy. Una camiseta talla M y un par de pantalones de lino talla 36. Un neceser con maquillaje y artículos de baño. Más tarde encontraron una nota de papel manuscrita entre un montón de viejos periódicos.

«Gracias por el día de ayer. Te quiero. Tu mujer del alma.»

Había una flor dibujada en la parte inferior.

Knutas toqueteó el papel. Mujer del alma. Vaya manera de expresarse.

Según su viuda, Viktor Algård tenía pensado quedarse a dormir en la ciudad después de la fiesta, lo cual era de lo más habitual y nada que pudiera preocuparla. Solía hacerlo cuando trabajaba hasta tarde.

Lo que desconcertaba a Knutas era que no hubiera ningún contacto telefónico ni correo electrónico entre Algård y su amante.

Habían interrogado a los vecinos de su edificio. Estos tampoco lo habían visto con una mujer. O la relación era muy reciente o solían encontrarse en otro lugar. Había que investigar en todos los hoteles y las pensiones abiertos durante el invierno. Knutas anotó el asunto.

Le dio la vuelta al papel una y otra vez. ¿Por qué no llamaba por teléfono? Una frustración le recorría el cuerpo. Tomaron las huellas dactilares del apartamento pero solo encontraron tres tipos: uno pertenecía a Algård, otro al portero de la finca que hacía poco había aislado las ventanas y un tercero que, lo más probable, pertenecería a la mujer desconocida.

¿Cómo habían podido mantener su relación tan en secreto? En Gotland, nada más salir de casa, uno se tropezaba con alguien conocido.

Quizá ella viviera en el continente. Viktor Algård era un hombre de cincuenta y tres años bien conservado que se preocupaba de su físico. Los hombres de esa edad —Knutas lo era— solían buscar mujeres más jóvenes. Quizá porque les asustaba envejecer o simplemente porque eran unos viejos verdes. Seguro que alguien como Viktor Algård no tendría problemas a la hora de encontrar mujeres. Tenía dinero, poder y muchas personas desearían compartir el halo de gloria que lo envolvía.

Knutas volvió a cargar su pipa. Se habían encontrado en alguna parte, la cuestión era dónde. ¿Cómo se comunicaban?

Sin saber de dónde le surgió una nueva idea. ¿Podría ser algo tan sencillo?

De pronto tuvo prisa.

El apartamento se hallaba en Hästgatan, en el centro de Visby, en una casa de dos plantas pintada de blanco que albergaba cuatro viviendas. El edificio estaba rodeado de una valla de madera que preservaba la intimidad. Le sorprendió encontrar la puerta de la tapia sin cerrar con llave, así que le resultó fácil entrar. El jardín era muy bonito, con resplandecientes arriates, arbustos de lilos y una fuente en el centro. En el otro extremo se encontraba el estudio de la artista. Knutas se dirigió primero hacia allí. Estaba cerrado. De la puerta colgaba un letrero pintado a mano con un rebaño de ovejas en un redil, donde alguien había escrito con letras recargadas «Veronika Hammar».

Knutas leyó el nombre varias veces. El corazón le latió con fuerza. Dio unos pasos atrás y contempló la fachada. Veronika Hammar era una artista muy conocida en Gotland. Se obstinaba en pintar ovejas en toda clase de situaciones posibles e imaginarias. Los isleños quizá no apreciaran mucho sus cuadros, pero estos eran muy populares entre los turistas.

La había visto en las fotografías de la inauguración del palacio de congresos. Veronika Hammar había asistido al evento. Y su estudio se encontraba en el jardín del edificio en el que Viktor Algård tenía su apartamento. ¿Podría ser esa la razón de la ausencia de correos electrónicos y llamadas telefónicas? Se encontraban tan cerca que no los necesitaban. Pero los vecinos deberían haber notado algo. Quizá no, si habían actuado con la suficiente discreción. Rememoró el rostro de Veronika Hammar. Una mujer atractiva, con poco más de cincuenta años.

Knutas regresó enseguida a la comisaría.

Veronika Hammar transmitía cierta sensación de nerviosismo mientras permanecía sentada en el borde de la silla en la estrecha sala de interrogatorios. Como si estuviera a punto de despegar. Tranquila, tranquila, pensó Knutas. Esto llevará tiempo.

Era casi medianoche pero su cansancio se había esfumado. Karin dirigía el interrogatorio.

Knutas observó a la amante de Algård desde el otro lado de la mesa. Parecía tener menos de cincuenta y seis años, aunque sospechó que se había sometido a alguna que otra intervención para retrasar el envejecimiento. La piel tirante y suave delataba el bótox. Y el pecho resultaba anormalmente alto y firme para una señora de su edad.

Era una mujer original; llevaba el cabello rubio recogido con un pañuelo multicolor. De corta estatura y delgada, vestía pantalones negros y un jersey de cuello vuelto gris. Llevaba los labios pintados de rojo y una línea negra en torno a los ojos.

Después de que Karin pronunciara las tradicionales frases preliminares sobre la grabadora, se recostó en la silla y miró a Veronika Hammar con amabilidad. Quería que la mujer se relajara. Utilizó una voz suave para hacer la primera pregunta.

—¿Sabe por qué la hemos llamado?

—Sí —respondió, insegura—. Es por la muerte de Viktor.

—¿Qué relación mantenía con él?

—¿Qué quiere decir?

—¿Cómo se conocieron?

Veronika Hammar parpadeó.

—Viktor y yo nos conocimos hace un par de meses.

—Deberían haber coincidido antes; usted es una artista muy conocida, él era el organizador de eventos más importante de Gotland y, además, tenían más o menos la misma edad.

—Sí, claro que nos habíamos visto, nos conocíamos de vista, pero nada más. Por supuesto que he estado en muchas fiestas, pero…

—¿Pero?

—Bueno, recientemente nos hemos conocido mejor. Quiero decir que salíamos juntos.

—¿Como pareja?

Veronika Hammar bajó la mirada.

—Estábamos enamorados. Bueno, más que eso. Estábamos tan enamorados que pensábamos casarnos. Él se había declarado.

—Pero Viktor estaba casado.

—Estaba tramitando el divorcio. Habían firmado los papeles y todo eso.

—¿Por qué no ha llamado a la Policía?

Veronika Hammar toqueteaba nerviosa el borde de la mesa.

—No me encuentro muy bien —susurró—. ¿Podrían darme un cigarrillo?

Karin sacó su paquete y se lo alargó. Ella se inclinó hacia delante y encendió uno. No estaba permitido fumar en la comisaria, pero la sala de interrogatorios era una excepción.

—Asistí a la fiesta y más tarde, por la noche, Viktor se tomó un descanso. Me preguntó si quería acompañarlo.

—¿A qué hora ocurrió eso?

—Pasadas las doce, creo. La actuación acababa de empezar.

—¿Adónde fueron?

—Viktor me pidió que nos viéramos en el sótano; al parecer, había unos sofás donde podríamos estar tranquilos. Ese espacio estaba cerrado al público.

—¿Y?

—Bueno, yo iba a acompañarlo pero necesitaba ir al baño antes, así que él bajó primero. Luego me entretuve, me encontré con unos conocidos. Cuando llegué a la sala no había nadie. Se había marchado.

—¿Está segura?

—Sí, todo estaba a oscuras y en silencio. Pero no entré a buscarlo. Lo llamé y no respondió, así que pensé que se habría cansado de esperar. Me llevé una gran decepción.

—¿Qué hizo?

—Regresé a la fiesta.

—¿Por dónde?

—Por las escaleras.

—¿Así que solo echó un vistazo?

—Sí.

—¿Desde dónde exactamente? ¿Entró en la sala?

—No, me quedé en la puerta. Enseguida me di cuenta de que no había nadie.

—¿Recuerda algún detalle que le llamara la atención?

—Uno de los taburetes del bar se encontraba tirado en el suelo, pero no le di importancia.

Karin le dirigió una rápida mirada a Knutas. Si la versión de Veronika Hammar era cierta, casi tenían la hora exacta del asesinato.

—¿Qué hizo después?

—Lo que le dije, regresé a la fiesta. Busqué a Viktor, pero no lo encontré. Después me invitaron a bailar y la noche siguió.

—¿Volvió a verlo?

—No. Teníamos que haber vuelto a casa juntos, pero no apareció por ninguna parte. Yo no quise preguntar demasiado, ya que debíamos ser discretos hasta que se hubiera divorciado.

—¿Regresó sola a casa?

—Sí.

—¿Cuándo abandonó la fiesta?

—Cuando estaban a punto de cerrar.

—¿Qué hizo durante los últimos momentos?

—Estuve hablando con un médico en el porche.

—¿Qué médico?

—Se llama Gunnar Larsson.

—¿Dónde podemos localizarlo?

—En el hospital. No sé dónde vive, pero trabaja como anestesista. Nos quedamos un buen rato hablando en el porche.

—¿Se marcharon juntos?

—Sí, pero yo quería esperar a Viktor. Aún creía que aparecería. Lo esperé media hora, pero no vino.

La voz le tembló y a Veronika Hammar se le humedecieron los ojos.

—¿Volvió a casa andando?

—Sí.

—¿A qué hora?

—Alrededor de las tres.

Karin la miró indecisa.

—¿Hay alguien que pueda corroborarlo?

—Sí, había bastante gente charlando a la salida, seguro que alguien del personal me vio. ¿A qué se refiere?

—Aquí soy yo quien hace las preguntas —respondió Karin con dureza. No quedaba rastro de su tono amable, incluso ignoró que Veronika Hammar parecía estar a punto de romper a llorar.

—El domingo por la tarde todos los medios publicaron la noticia del posible asesinato de un hombre que había aparecido muerto en el palacio de congresos. Debió de sospechar que se trataba de Viktor. Mantenían una relación, así que usted es sospechosa. ¿Por qué diablos no se puso en contacto con nosotros?

Veronika Hammar clavó una mirada aterrorizada en Karin.

—No quería involucrarme.

—¿Involucrarse? ¿De verdad creyó que no la encontraríamos? ¿Que nadie se había dado cuenta de lo suyo? ¿Que nadie los había visto juntos?

—Sí, pero…

—Estamos hablando de un asesinato, ¿no comprende la magnitud del asunto?

Veronika Hammar se mordió el labio. Le temblaban las manos cuando, justo después de apagar el cigarrillo, encendió otro.

—Yo… no sé. Me sentía desconcertada. Estoy conmocionada, triste y consternada. Viktor y yo íbamos a casarnos.

—¿Qué pensó?

—Me embargó el pánico, no podía pensar con claridad. Intenté fingir que no había pasado nada. Me quedé en casa deseando que apareciera por la puerta.

—¿Tiene alguna idea de quién pudo hacerlo? ¿De quién pudo haberlo asesinado?

—Su mujer, en todo caso. No parece estar en sus cabales.

—¿Qué le hace pensar eso?

Veronika Hammar le dio una profunda calada al cigarrillo antes de responder.

—Enloqueció por completo cuando él le dijo que quería divorciarse. Tuvo un acceso de ira en casa y rompió muchas cosas, hasta lo golpeó. Estaba furiosa, se negó a aceptarlo. Hizo todo lo posible para que él siguiera a su lado. Después de saber que quería divorciarse, ella contrató un viaje a Italia para toda la familia en verano. Pobre mujer, intentó obligarlo a quedarse. Se comportaba como una loca, sin un ápice de amor propio.

Guardó silencio de golpe y bajó la vista a sus manos. Luego dijo en voz baja:

—¿Cómo…, cómo murió?

La pregunta reverberó en la fría sala.

—Lo envenenaron.

—Pero, ¿cómo…?

—De momento, no podemos dar más detalles, lo siento.

Karin lanzó una mirada a su reloj y comprendió que se había hecho muy tarde. Se inclinó hacia la grabadora.

—Es la una y catorce minutos. Finaliza el interrogatorio a Veronika Hammar.

El primer pensamiento de Knutas al despertarse el martes por la mañana fue que la noche anterior no había tenido tiempo de hablar con Nils. Se puso de lado y observó la espalda pecosa de Line. Acarició su piel suave con la yema de los dedos. No quería despertarla, le había tocado el turno de noche en el hospital y lo más probable era que se acabara de dormir. Como de costumbre, ella ocupaba la mayor parte de la cama, de forma que a él apenas le quedaba espacio. Cuando intentó apartarla para poder levantarse, refunfuñó y lo abrazó.

—Abrázame —susurró ella.

—Lo siento, ¿te he despertado?

—No, estoy dormida.

Ella apretó la cabeza contra su pecho. El cabello fluyó por encima de la manta.

—¿Qué tal estaba Nils ayer? —preguntó él.

—Bien. Se le pasó el dolor de barriga. Comimos lasaña antes de irme, ya sabes que es su plato favorito. Lo pasamos en grande.

La relación de Line con Nils era mejor que la suya. A ella la trataba bien y casi nunca discutían. Knutas sintió un pinchazo de envidia.

—Había pensado hablar con él anoche, pero llegué muy tarde.

—Bueno, pues hazlo hoy. Tengo turno de noche y empiezo a las nueve. Quizá lo mejor sea que yo no esté en casa, así podréis hablar con tranquilidad.

Echó un vistazo a los chicos antes de bajar a la cocina. Eran poco más de las seis de la mañana, demasiado temprano para despertarlos. Petra yacía envuelta en la manta, apenas se le veía el cabello. La habitación estaba repleta de cosas aunque, pese a todo, reinaba un cierto orden. La mesa y las estanterías estaban abarrotadas de laca, perfumes, distintos envases y frascos de colores chillones. Tenía pequeños blocs de notas, pilas de cuadernos y papeles con apuntes. Se preguntó qué escribiría en ellos. Por el suelo se apreciaban pequeños montones de ropa, cinturones, diferentes bolsitos y zapatos. Las paredes estaban cubiertas con fotografías de distintas estrellas del pop de las que apenas conocía el nombre.

¿Qué sabía de ella en realidad, y cuáles eran sus pensamientos? ¿Cuántas conversaciones profundas mantenían actualmente? ¿Cuándo hablaron por última vez y qué se dijeron? Comprendió desanimado que conversaron sobre cosas banales: qué había comido, si esa tarde tenía entrenamiento o no y qué tal le había ido en el colegio.

Y luego fue a ver a Nils. Estaba tumbado de espaldas a la puerta y la luz de la mesilla seguía encendida. Había heredado el espeso cabello pelirrojo de su madre. La habitación estaba desnuda, pelada. Nada colgaba de las paredes, sobre la mesa había unos cuantos libros de texto y el ordenador con el que, según Knutas, pasaba demasiado tiempo. Su hijo dormía apaciblemente. ¿Conoce uno en realidad a sus hijos?, pensó. Sintió un hormigueo de miedo en el estómago al comprender que comenzaban a alejarse de él. Si no hacía algo, pronto quizá sería demasiado tarde. Deberíamos hacer un viaje. Los niños y yo, pensó. Line solía pasar con ellos los fines de semana en el campo cuando él trabajaba. ¿Por qué no hacía él lo mismo?

Cerró en silencio la puerta de la habitación de su hijo. Tenía que encontrar un buen plan, quizá unos días de playa en Canarias o un largo fin de semana en una capital, Londres, París, Nueva York. Ellos elegirían adónde querían ir, aunque dentro de unos límites, claro.

Quizá compartir experiencias les ayudaría.

Voy de una habitación a otra y bajo las persianas de todas las ventanas. Lleva su tiempo. Aun cuando el apartamento es un refugio, aquí dentro me siento encadenado, igual que un prisionero en una amplia celda. Como de costumbre, bajar los cuatro pisos en ascensor raya en lo insalvable, aunque necesito hacer la compra. Salir a la calle, mezclarme con toda la gente que se apresura hacia todo y nada… Yo ya no formo parte de eso. Es como si observara un inmenso hormiguero. Las personas y los coches se desplazan de un lugar a otro, al parecer sin rumbo fijo, en la rueda sin fin de la vida cotidiana. ¿Qué sacan con ello?

Entre dudas, tomo la medicina en el cuarto de baño. Me meto en la boca dos cápsulas y una pequeña pastilla redonda. Las ingiero de mala gana con un vaso de agua. Siempre me ha costado tragar. Evito mirarme en el espejo, consciente de que no soy una imagen bonita. Siento el estómago vacío, pero no tengo hambre a pesar de que llevo varios días sin comer.

Regreso al sofá, me tumbo en postura fetal dándole la espalda a la habitación. Tengo los ojos secos y abiertos de par en par, pero no veo la blanca superficie del cojín del sofá. Sé que no voy a poder dormir. Solo me quedaré allí tumbado, inmóvil y mudo. Como si formara parte de la decoración. Igual que entonces.

Pienso en el pasado.

En uno de esos domingos. Fuimos a ver a la tía Margareta y al tío Ulf, que vivían dentro de las murallas. Marcel, su hijo mayor, era de mi edad. Íbamos al mismo instituto, pero allí fingíamos no conocernos. Yo siempre miraba en otra dirección cuando me lo cruzaba en el pasillo. Sospechaba que Marcel se avergonzaba de nuestro parentesco.

Lo llamaron Marcel porque su madre adoraba a Marcello Mastroianni. Quizá podríamos habernos hecho amigos de haber sido otras las circunstancias, si no me hubiesen considerado tonto, si nuestras madres no nos hubieran sometido a constantes comparaciones.

Marcel medía un metro ochenta y cinco, ya le habían salido pelos en las axilas y el bigote. Tenía el cabello negro con rizos y ojos aterciopelados, además de un cuerpo bien desarrollado con unos buenos brazos musculados que mostraba orgulloso bajo las risas fascinadas de su madre y su tía.

El salón olía a zapatería, quizá a causa del sofá esquinero de cuero blanco. Dos perros de porcelana de dos metros de altura guardaban la entrada. El café de rigor a la hora obligada, las dos de la tarde. El sofá crujía cuando me hundía en él. El bollo rechinaba entre los dientes, el zumo era demasiado fuerte. La tía Margareta y mamá charlaban del tiempo, del viento y de cosas irrelevantes. Sin prestar atención a sus hijos, como de costumbre. Como si no existiéramos. Tan solo éramos su público. El tío Ulf solía guardar silencio, sorbía su café y asistía entretenido a la cháchara de las dos mujeres. Marcel se tragó su buen plato de bizcocho y se fue a casa de un amigo. En cuanto salió por la puerta comenzó la cháchara.

—Marcel es tan popular, ya sabes. Se pasa todo el tiempo con los amigos. Apenas le vemos el pelo —cacareó la tía Margareta, mostrándose inmensamente satisfecha—. Las chicas no paran de llamar. Hace poco estuvo saliendo con una durante casi dos meses, Helena, muy mona y amable, realmente agradable, pero rompió con ella y no te puedes imaginar el tiempo que me he pasado hablando por teléfono con la pobre muchacha. Está destrozada. Pero acaba de conocer a otra, Isabelle, que para colmo es dos años mayor que él. Eso me tiene un poco preocupada, esta no se contentará solo con besos y caricias, ya sabes a lo que me refiero. Sí, he hablado con él sobre los métodos anticonceptivos y eso, pero no deja de preocuparme. Me horroriza la idea de que pueda dejar embarazada a alguna. Además, sale todos los fines de semana, el viernes y el sábado. Guateques, fiestas y Dios sabe qué. Pero mientras cumpla con los estudios, le dejamos hacer. Es tan listo, saca matrículas en casi todo. Dice que quiere ser médico, ¿te lo puedes creer? Aunque seguro que sería un buen médico, porque es cariñoso, abierto y extrovertido. Yo creo que debería trabajar con personas. Aunque no sé cómo tiene tiempo para todo, el hockey sobre hielo le absorbe tanto... Entrenan tres veces por semana y luego tiene partido el fin de semana. ¿Sabías que en su club le han nombrado jugador del año? Sí, es increíble, no sé a quién ha salido. Ja, ja, ja. A Ulf nunca le ha interesado el deporte. ¿No es cierto, cariño?

Solo calló para darle un sorbo al café. Mamá sonreía cautivada, asentía alentándola, revolvía el café y de vez en cuando emitía murmullos de admiración. La tía Margareta hablaba sin parar de Marcel, como si fuera un regalo de Dios a la humanidad.

El bollo crecía en mi boca y yo empequeñecía con cada palabra. De pronto, mi tía se volvió hacia mí. Como si acabara de descubrir mi presencia en la habitación.

—Y tú, ¿tienes novia?

La pregunta fue tan inesperada que tardé un rato en reaccionar. Negué con la cabeza.

Deseé fundirme en el papel verde de las paredes y ser devorado.

En el coche, de vuelta a casa, mamá continuó la perorata sobre lo magnífico que era Marcel.

—Margareta me ha contado que ha empezado a afeitarse —exclamó—. ¡Y tiene que hacerlo todos los días!

No respondí.

Tampoco lo hizo ninguno de mis hermanos.

Llovía a cántaros, así que Knutas tuvo que ir al trabajo en su viejo y oxidado Mercedes. Aún no había conseguido separarse de él, a pesar de la presión de Line. Ella podría coger el coche nuevo, lo más probable es que no quisiera ir andando si continuaba el mal tiempo. Recordó que le contó que habían cenado lasaña; ¿eso era bueno para el IG? Esbozó una media sonrisa. Siempre ocurría lo mismo con Line. Cada vez que decidía perder peso comenzaba un plan entusiasmada y con tesón. Se hacía con todos los programas de ejercicios y llenaba la nevera de comida sana. La emoción solía durarle un par de semanas.

Cuando llegó a la reunión del grupo operativo sintió unas ganas enormes de trabajar.

—Buenos días a todos —comenzó.

Hizo acallar el acostumbrado murmullo matutino alzando la mano. A veces se sentía como un profesor de escuela. Deseaba contarles lo que había descubierto la noche anterior. Relató en pocas palabras cómo había hallado el estudio de Veronika Hammar en la misma dirección que el apartamento de Viktor Algård.

—¿No tiene ya unos sesenta años? —señaló Wittberg—. Creí que se entretendría con una chica más joven.

—No todos son como tú —le picó Karin.

Los líos de faldas de Thomas Wittberg eran muchos y bien conocidos entre sus colegas. Solían incluir veinteañeras que lo admiraban por ser un inspector de homicidios con pinta de windsurfista. Karin pensaba que el estilo de su compañero era de lo más anticuado y solía reírse de él haciendo algún comentario sobre los años ochenta. A Wittberg le traía sin cuidado. Seguía marcando músculo bajo la camiseta y se negaba a cortarse sus largos rizos rubios.

–Tiene cincuenta y seis años –intervino Knutas–. Viktor tenía cincuenta y tres, apenas se llevaban tres años. Conseguimos localizarla por la noche, y durante el interrogatorio confirmó que mantenía una relación con Viktor Algård. Nos dijo que estuvo en la fiesta, pero que lo perdió de vista y volvió sola a casa. En un momento de la noche pensaron en bajar al sótano, donde se halló el cuerpo. Viktor llegó primero, mientras Veronika iba al baño. Ella se entretuvo pues se encontró con unos conocidos. Cuando bajó, él ya no estaba. Supuso que se había cansado de esperar.

–¿A qué hora fue eso?

–Justo después de medianoche, entre las doce y las doce y media.

–¿Así que ella estuvo en la zona cerrada, donde se encuentran el bar y los sofás? –preguntó Wittberg.

Knutas asintió con la cabeza.

–¿Vio algo?

–No, no entró en la sala, ya que la luz estaba apagada. Sin embargo, se dio cuenta de que había un taburete caído en el suelo.

Smittenberg, el fiscal, pareció desconcertado, se pellizcó pensativo uno de sus lóbulos.

–Así que el asesinato tuvo lugar mientras Veronika estaba en el baño.

–A no ser que fuera ella quien lo mató –contraatacó Karin.

–Lo cierto es que no se puso en contacto con nosotros, lo cual resulta incomprensible –intervino Wittberg–. ¿Qué explicación dio?

–Que tuvo un ataque de pánico.

–No resulta creíble, ¿de qué podría tener miedo? Aunque imagino que no bastará con eso para arrestarla. Birger, ¿tú qué opinas? –Wittberg se volvió hacia el fiscal.

–No, no es suficiente. Se encontraba alterada y conmocionada, mantenía una relación con la víctima en el mayor de los secretos y no deseaba verse implicada. Además, hay que tener en cuenta que es una artista bastante famosa. Si no goza de gran reconocimiento, por lo menos es conocida –añadió Birger lacónico–. Eso hacía que la situación fuera aún más delicada. Las circunstancias no son lo suficientemente agravantes como para detenerla.

–¿Vive en Hästgatan o allí solo tiene el estudio?

–No, vive en Tranhusgatan, cerca del Botánico –respondió Knutas.

–¿Quién es en realidad y qué hace? Todo lo que sé de ella es que pinta unos cuadros horribles.

Knutas hojeó sus papeles.

–Lleva divorciada muchos años y vive sola. Tiene cuatro hijos. Mats, el mayor, vive en Estocolmo. En realidad no lo crio ella. Lo tuvo cuando era muy joven y creció con una familia adoptiva. Luego viene Andreas, que es pastor de ovejas en Hablingbo. Una hija, Mikaela, que se mudó a Vätö, en el archipiélago de Estocolmo. Posee una escuela de equitación con su marido. Y su hijo pequeño, Simon, que vive en Bogegatan, aquí en Visby.

La repentina aparición de Sohlman al abrir la puerta lo interrumpió. El inspector de la Policía científica parecía exaltado.

–Disculpad que llegue tarde. Pero acabo de cotejar las huellas dactilares. Las huellas de Veronika Hammar se encuentran en el picaporte de la puerta del balcón del salón en el que se encontró el cadáver. Es decir, la puerta por la que probablemente escapó el asesino.

La sala se quedó en silencio.

Nada más acabar la reunión se puso en marcha la búsqueda de Veronika Hammar. La Policía constató enseguida que no se encontraba en el apartamento de Tranhusgatan ni en el estudio de Hästgatan. No estaba empadronada en otra dirección, así que trataron de dar con ella a través de sus hijos. Al único que consiguieron localizar fue a Andreas, el pastor de ovejas en Hablingbo, que aseguró no tener ni idea del paradero de su madre, pero prometió llamar en cuanto supiera algo. Mats se encontraba de vacaciones en Mallorca según su jefe; la hija que vivía en el archipiélago de Estocolmo estaba de viaje con la Cruz Roja en Sudamérica y resultaba imposible ponerse en contacto con ella. Además, su marido les contó que hacía diez años que había roto la relación con su madre. Cuando Karin le pidió una explicación, él la remitió a su esposa, alegó que eso debería contarlo ella misma. El hijo más joven tampoco parecía encontrarse en casa, nadie sabía dónde podía estar.

Mientras tanto, el grupo operativo investigó el círculo íntimo de Veronika Hammar, lo cual resultó fácil. Tenía dos hermanas, sus padres habían muerto. El número de amigos con el que se relacionaba era limitado.

A la hora del almuerzo llegaron por fax los resultados preliminares de la autopsia. Confirmaron que Viktor Algård había muerto envenenado con cianuro. Lo más probable era que él mismo se hubiera ocasionado la herida en la frente. Según la forense, la lesión se produjo al resbalar y golpearse contra una de las mesas del bar; era de hormigón y en su borde y en el suelo encontraron sangre de Viktor. El informe indicaba que las convulsiones eran corrientes en los casos de envenenamiento con cianuro y que todo indicaba que antes de morir la víctima había andado a trompicones y se había golpeado con la mesa. El momento del fallecimiento se situaba entre la medianoche y las seis de la mañana.

Knutas se reclinó en su silla vieja y desgastada y se balanceó despacio. El informe confirmaba, a grandes rasgos, lo que ya sabían. Lo más probable era que el asesino hubiera desaparecido por la puerta del balcón que daba a un pequeño callejón. Más sencillo, imposible. Eso implicaba aún más a Veronika Hammar. Sus huellas dactilares se encontraban en el picaporte.

Y mientras se cometió el crimen, Knutas había estado disfrutando de la fiesta en la planta de arriba. Era un hecho difícil de digerir. No había testigos, no habían visto que nadie hubiera abandonado el edificio a esa hora, entre las doce y cuarto y las doce y media. El inmueble estaba rodeado de edificios de oficinas y la biblioteca Almedalen. No había casas de vecinos alrededor del palacio de congresos.

Le embargó una cierta desazón. Muchos indicios apuntaban a que Veronika Hammar era la asesina. Quizá Viktor Algård se había cansado de la relación y quería volver con su esposa; los celos solían ser una razón para asesinar a alguien.

Tendrían que investigar más a fondo y, sobre todo, localizarla.

La playa de Holmhällar, en el extremo sur de Gotland, estaba cubierta de piedra caliza. La zona de raukar, de un kilómetro de largo, le daba un carácter especial; las hileras rocosas eran macizas y de formas extrañas; las más altas alcanzaban los cinco metros. Aquí los raukar no aparecían como aislados bloques de piedra, sino que se hallaban agrupados, pegados unos a otros como para protegerse del viento, de los buscadores de fósiles y de los estragos de los turistas. Un poco más allá, en el mar, se vislumbraba la pequeña isla de Heligholmen, una reserva natural cuyo acceso estaba prohibido en esa época del año y en la cual anidaban millares de aves marinas.

En la orilla, al comienzo de la playa, se hallaba la aldea de pescadores, un conjunto de cobertizos de piedra con el tejado de pizarra. Tenía varios siglos de antigüedad, desde que los campesinos de la isla se vieron abocados a la práctica de la pesca para sobrevivir. Luego llegaron los viajeros del interior, que pescaban durante unos días y se alojaban en los estrechos cobertizos con ventanucos que daban al mar. El lugar olía a brea y algas.

La mujer caminó por la playa de rocas, teniendo cuidado de no tropezar con raíces o piedras sueltas. El mar estaba gris y soplaba un viento frío. Sobre los raukar se elevaba una amplia meseta cubierta de hierba ondulante repleta de adonis de primavera con flores amarillas como soles y de campanillas violeta oscuro. Algunos enebros y pequeños árboles retorcidos a causa de las tormentas luchaban contra el viento, obstinados en aferrarse al terreno rocoso. El paisaje en esa época del año era árido y desolado. Ni un alma. El viento hizo que se le humedecieran

119

los ojos. Apartó la vista del mar y la alzó hacia la meseta y el bosque lejano.

Cuando dejó atrás la zona de raukar vio la playa de arena. Allí solía bañarse en verano. Después del largo invierno el agua estaba gélida, se mecía oscura e inhóspita. Se dio la vuelta y se dirigió hacia la urbanización de casas de verano en la linde del bosque. Se trataba de una docena de viviendas, diseminadas sobre una superficie bastante grande para mantener una distancia prudencial entre ellas. La pensión que se encontraba un poco más allá cerraba durante el invierno, y las casas restantes parecían desiertas.

De pronto le sobresaltó un crujido a su espalda. Vivió un instante de terror antes de comprender que se trataba de un conejo que corría por la hierba. Lo siguió con la mirada hasta verlo desaparecer en una madriguera. Tenía los nervios a flor de piel. El ambiente estaba neblinoso y húmedo, caía la tarde. Una bandada de cisnes de largos cuellos pasó volando por el cielo oscuro. Emitían prolongados graznidos. Un sonido de mal augurio, pensó. Un grito de muerte.

No advirtió la presencia del hombre que se encontraba en la meseta y observaba todos sus movimientos.

El hombre bajó los prismáticos y se encaminó hacia la casa de veraneo de la mujer.

El grupo operativo se ocupó en primer lugar de la búsqueda de Veronika Hammar, pero eso no les hizo abandonar otras pistas que todavía resultaban interesantes. Knutas no quería limitarse a la hipótesis de que ella fuera la única autora del asesinato. Aun cuando resultaba inverosímil, podría existir alguna razón para haber estado en el lugar del crimen y no avisar a la Policía. Durante sus treinta años de profesión había aprendido que las personas se pueden comportar de la forma más extraña e irracional. En realidad, nada era imposible.

Por eso la Policía siguió tirando de otros hilos. Uno de ellos era Sten Bergström, el antiguo rival de Viktor Algård. No pudo acudir a la comisaría debido a un ataque de ciática, así que Knutas y Karin decidieron pasar a visitarlo el martes por la tarde.

Por segundo día consecutivo se dirigieron hacia Sudret y Holmhällar. Habían transcurrido varios años desde que el peor adversario de Viktor Algård se arruinara, pero las viejas rencillas podrían haber aflorado.

Bergström vivía solo en una casa de campo, cerca de los raukar de Holmhällar. Tras dejar atrás Hamra, las zonas habitadas comenzaban a escasear a medida que el terreno se tornaba más yermo. La distancia entre las granjas iba en aumento. En esta parte abundaban las casas de veraneo, por lo que la zona, fuera de temporada, se encontraba casi desierta. Les habían indicado que torcieran a la izquierda al salir de Holmhällar, en dirección a Austre.

A pesar de que había escampado, las nubes amenazadoras presagiaban lluvia en cualquier momento.

—Aquí solo hay casas de veraneo cerradas a cal y canto —suspiró Karin, cansada de pasar una finca desierta tras otra—. No se ve ni un alma.

—Me pregunto si no nos habremos perdido —murmuró Knutas.

Karin estudió el mapa.

—Esta es la única salida. Luego tenemos que girar a la derecha tras la hilera de buzones, enfrente del camino de la playa. Tiene que haber una señal.

Llegaron nada más pronunciar esas palabras. Sten Bergström se mostró sorprendido cuando Karin lo llamó el día anterior, pero respondió con amabilidad y dispuesto a colaborar. Vivía en una casa de madera blanca de dos pisos que había conocido días mejores. En el jardín había dos casetas deterioradas y un garaje sin puerta que parecía albergar trastos viejos, así como un viejo coche oxidado. Un gato negro los observaba desde el capó.

Pulsaron el timbre, pero no parecía que funcionara. Knutas golpeó la puerta con fuerza. No obtuvo respuesta. Esperaron un rato y volvió a llamar. Karin dio la vuelta a la casa. Daba la impresión de que no hubiera nadie dentro. De pronto se escuchó el ladrido de un perro desde el camino. Por allí se acercaba un hombre alto, con la espalda encorvada. Se diría que andaba dolorido. Vestía un chubasquero, botas de goma y se cubría la cabeza con una gorra. A su lado correteaba un majestuoso perro afgano de bonito pelaje dorado. El hombre alzó la mano en señal de saludo.

—Lo siento, no sabía que fueran a llegar tan temprano. ¿Llevan ustedes mucho tiempo esperando?

Les tendió la mano. El perro observó a los policías con actitud expectante.

—No. Acabamos de llegar —respondió Knutas.

Sten Bergström entró el primero en la casa y los condujo a un salón con un gran mirador que daba al jardín. El suelo de madera estaba desgastado y desprovisto de alfombras, tampoco había cortinas en las ventanas. El mobiliario era espartano, pero los muebles eran de buena calidad y parecían haber sido adquiridos en alguna de las muchas subastas que solían celebrarse en la isla. Sten Bergström les invitó a café y bizcocho casero. Knutas y Karin se sentaron en el sofá de la cocina, pero Sten Bergström permaneció en pie. Su dolorida espalda le impedía sentarse, explicó entre disculpas.

A Knutas le resultaba difícil hacerse una idea de quién era Sten Bergström. Por un lado, el hombre vivía de forma sobria y sencilla, por otro, su persona irradiaba estilo y elegancia. La camisa a cuadros y los pantalones claros de algodón estaban limpios y recién planchados, y tenía la casa aseada y en orden. El perro podría haber aparecido en la portada de *Palacios y casas señoriales* con algún noble sujetando la correa.

—Hemos venido a verle a causa del asesinato de Viktor Algård —comenzó Knutas, después de que les sirviera el café y un plato con un trozo de bizcocho—. Quizá le resulte extraño que queramos hablar con usted, pero investigamos la vida de Algård y controlamos todo lo que nos pueda aportar algún indicio sobre el asesinato, aun cuando pueda resultar rebuscado.

—Sí, claro. —Sten Bergström esbozó una sonrisa, apoyado en el marco de la puerta—. Entiendo.

—¿Cuándo fue la última vez que trató con él? —preguntó Knutas.

—Hace años.

—¿Qué clase de relación tenían?

—Todo el mundo sabe que éramos enemigos irreconciliables. Me arruinó, me llevó a la bancarrota.

—¿Cómo ocurrió?

—Empecé a organizar eventos a pequeña escala hace unos cinco o seis años. Me fue muy bien y creé mi propia empresa. El primer conflicto surgió a raíz del nombre. Llamé a mi empresa Goal Gotland, pues mi intención no era organizar solo eventos locales, sino también atraer clientes a la isla para celebrar bodas, cumpleaños y cosas por el estilo. Multitud de peninsulares se desplazan aquí durante el verano. Viktor opinaba que el nombre recordaba demasiado al de su empresa, esa fue la razón de que pusiera en marcha un proceso judicial. Fuera como fuese, perdió esa batalla, no pudo hacer nada al respecto. Continué con mis eventos y poco a poco le fui arrebatando una importante cantidad de clientes.

—¿Cómo fue posible?

—No creo que la gente estuviera descontenta con su trabajo, no había ninguna razón para ello. Era muy profesional. Al contrario, estuvo muy ocupado durante un período de tiempo, y eso creó la necesidad de disponer de más organizadores de eventos. Yo cubrí ese nicho. Además, mis precios eran más bajos, así que mucha gente me eligió y luego siguió contratándome cuando necesitaba ayuda. Es como cuando uno cambia de peluquero. Si tu peluquero está ocupado, pruebas con otro. Si quedas satisfecho, no hay razón para volver con el antiguo. Cuando llega la hora de la verdad, el ser humano es notoriamente infiel.

Bergström, pensativo, revolvió el azúcar de la taza de café que sostenía en la mano. No perdía de vista los ojos de los policías, repartía su mirada amable y atenta entre Karin y Knutas.

—¿Qué clase de trato mantenían?

—Nada íntimo. Apenas nos comunicábamos por teléfono y correspondencia. Me acusaba de haberle robado su clientela. Me gritaba por teléfono y, siento decirlo, pero era realmente grosero. Hice todo lo posible por explicarle que la gente me había buscado por iniciativa propia y que si los clientes preferían mis servicios debía aceptarlo. Pero Viktor no quería entrar en razón. En realidad, era imposible razonar con él. Su comportamiento resultaba del todo innecesario, dado que tenía más clientes de los que podía atender.

Karin disimuló una sonrisa. Sten Bergström parecía estar fuera de lugar en esa casa deteriorada en medio del páramo. Sus formas eran pomposas y se comportaba como un aristócrata. Podría haberse apellidado Von Knorring o Silfversparre.

—¿Cómo reaccionó?

–No hice nada. Dejé que luchara y se pusiera en contacto con distintas administraciones, mientras yo seguía a lo mío. Y no consiguió nada, lo que seguramente le abatió aún más.

–¿Por qué quebró su empresa?

A Sten Bergström se le ensombreció el rostro.

–Algunas fiestas acabaron mal. Hubo una serie de sucesos desagradables, con borracheras y peleas. Se corrió la voz, la gente empezó a hablar a mis espaldas. Los clientes me fallaron, cada vez recibía menos encargos y, al final, el negocio se fue a pique. No me sorprendería que Viktor hubiera estado detrás de todo. Pero no tuve fuerzas para ocuparme de eso. Además, perdí la ilusión cuando los clientes dejaron de confiar en mí.

De pronto la figura de Sten Bergström se ensombreció.

–Lo siento pero tengo que tumbarme –gimió–. No aguanto de pie. ¿Desean saber algo más?

Se llevó las manos a la espalda y se puso de rodillas con un gran esfuerzo. El perro rompió a ladrar.

–Disculpen, ¿me podrían acercar una silla?

Karin observó atónita cómo aquel hombre elegante se tumbaba en el suelo y alzaba las piernas. Knutas lo ayudó a colocarlas en un ángulo de noventa grados. Sabía perfectamente de qué se trataba. Desde que se casaron, Line sufría frecuentes ataques de dolor de espalda.

El perro lamió a su amo en el rostro con fervor, contento de verlo tumbado en el suelo. Sten Bergström no parecía tan contento. Le ordenó parar y de inmediato el perro se retiró cabizbajo a su cesto, donde se tumbó emitiendo un resignado suspiro.

–Muchas gracias por habernos atendido –se despidió Knutas–. Le llamaremos si necesitamos algo más.

–De nada –respondió Sten Bergström, lacónico. Cerró los ojos–. Adiós.

El perro los siguió fijamente con la mirada mientras cerraban la puerta.

Pasaron el martes sin poder localizar a Veronika Hammar. Cuando el reloj estaba a punto de marcar las seis y media, Knutas se percató de que llevaba trabajando doce horas y se dio por vencido.

No podía hacer nada más y, por otra parte, había prometido ocuparse de la cena. Line volvía a tener el turno de noche en el hospital y no regresaría hasta el amanecer. Antes de llegar a casa se detuvo a comprar unas pizzas. Los chicos querían una de lomo de cerdo con salsa bearnesa. Encargó una para cada uno mientras un escalofrío le recorría el cuerpo. ¿A quién se le habría ocurrido una combinación semejante? Pronto servirán pizzas con gambas y salsa agridulce, pensó. O una Taipizza con pollo y curry rojo. ¿Y por qué no una pizza de postre con masa de azafrán, coronada con avellanas y pasas?

En cuanto abrió la puerta de casa sintió que algo había ocurrido. Todo estaba oscuro y las luces, apagadas.

—¡Hola! —gritó desde el recibidor. No obtuvo respuesta. Dejó las cajas de cartón y se dirigió al piso de arriba.

—¡Hola! —volvió a gritar—. ¿Hay alguien en casa?

Abrió la puerta de la habitación de Petra, apenas iluminada por un par de gruesas velas aromáticas que había sobre una bandeja, en la mesilla de noche. Unos cuantos palitos de incienso colocados en un cuenco de porcelana esparcían un denso olor a almizcle. En el ordenador parpadeaban las fotografías de jóvenes ligeros de ropa con la línea de cielo de Manhattan de fondo. Una incomprensible música hiphop retumbaba entre las paredes. Su hija se encontraba tumbada en la cama con las piernas en alto, apoyadas contra la pared, con la vista fija en el techo mientras hablaba por el móvil.

—Silencio —le mandó callar, y agitó la mano irritada para que abandonara la habitación.

—Vamos a comer…

—¡SILENCIO!

Knutas cerró la puerta con resignación y probó suerte dirigiéndose al otro cuarto. Se hallaba totalmente a oscuras, pero oyó el traqueteo del rock duro que provenía del iPod de su hijo.

—Hola —saludó, y encendió la luz—. ¿Qué haces?

Nils se dio la vuelta hacia la pared enseguida, pero Knutas pudo ver que tenía los ojos enrojecidos y parecía haber estado llorando.

—¿Qué te pasa?

Dio unos pasos hacia la cama.

—Nada.

—Veo que estás triste.

Se sentó con cuidado en el borde del lecho, pero Nils le dio la espalda y se acercó aún más a la pared.

—¿Qué te pasa?

—Nada —respondió—. Déjame. Vete.

—Pero Nils… —Knutas acarició la cabeza de su hijo con cautela—. No me puedes contar qué…

—¡Para! —Sujetó la mano de Knutas y la apartó—. Déjame en paz —resopló, con su voz en proceso de cambio.

—He comprado pizza.

—Ahora bajo. Vete —pidió el chico, en un tono menos agresivo.

Knutas abandonó la habitación sintiéndose impotente. Expulsado, apartado. No podía hacer nada. No podía obligar a Nils a sincerarse con él si el chico no quería hacerlo. En eso se basaba la confianza.

Puso la mesa con el corazón acongojado. Él, que en el trabajo era tan vigoroso y decidido, en casa se volvía un pobre miserable ante sus hijos adolescentes. No sabía cómo tratarlos. Además, se sentía triste y dolido. ¿Será que no me quieren?, pensó.

Oyó un crujido en la escalera. Petra entró en la cocina y le dio un abrazo fugaz, como si adivinara su estado de ánimo.

—Perdona, papá, pero tenía una conversación muy íntima.

—¿Sobre algo que puedas contarme? —se atrevió a preguntar, animado por la muestra de afecto que recibía por una vez.

—Alexander ha muerto.

—¿Qué dices?

Sintió un gélido pinchazo en el diafragma. Knutas miró fijamente a su hija sin entender nada. Poco a poco lo comprendió todo. Ya no había esperanza. Las preguntas se arremolinaron en su mente. Enseguida pensó en Ingrid, la madre de Alexander, y en su hermana Olivia.

—Hablaba con Olivia —dijo Petra, con la mirada perdida—. Se acaban de enterar. Está destrozada. Le he prometido que me pasaría por su casa después de cenar.

—¿Sois tan buenas amigas?

—Desde hace unas semanas, sí. Después de lo ocurrido…

De nuevo se apoderó de él la certeza de lo poco que conocía a sus hijos.

Nils se unió a ellos.

—¿Te has enterado de lo que ha sucedido? —preguntó Knutas—. ¿Sabes que Alexander ha muerto?

Nils y su hermana intercambiaron miradas.

—Sí —contestó su hijo, sin prestarle atención.

Comieron en silencio. Knutas no sabía qué decir, aparte de que era algo terrible y que lo sentía por la madre y la hermana de Alexander.

El caso estaba prácticamente resuelto, habían arrestado a tres chicos de dieciséis años, acusados de agresión con lesiones. Ahora tendrían que cambiar la acusación. Todos lo negaban, pero las pruebas eran concluyentes. Se había encontrado sangre de

Alexander en la ropa y en los zapatos de los chicos, y un par de testigos se atrevieron a identificarlos.

Knutas pensó apenado que no se trataba solo de que los casos de agresiones hubieran aumentado, fueran más violentos y afectaran a gente cada vez más joven, sino también que las personas se mostraban más reacias a testificar. La evolución era aterradora.

Después de cenar, sus hijos se levantaron y se dirigieron al recibidor para ponerse los zapatos.

—¿Vais a salir? —preguntó Knutas, mientras colocaba piezas en el lavavajillas.

—Sí —respondieron al unísono.

—¿Tú adónde vas? —le preguntó a Nils.

—Me acompaña a casa de Olivia —contestó Petra, antes de que le diera tiempo a responder a su hermano.

—¿Por qué?

—Pero papá… —replicó Petra, mirándole con compasión y moviendo la cabeza.

La puerta se cerró.

Knutas respiró hondo, se sentó a la mesa de la cocina y marcó el número de Ingrid Almlöv.

Cuando Knutas llegó a las seis y media de la mañana, no había nadie en la piscina. Durante el primer cuarto de hora pudo disfrutar del lujo de tenerla toda para él solo.

Nada conseguía relajarlo tanto como nadar. Avanzaba largo tras largo, su cuerpo se movía mecánicamente como si fuera un robot teledirigido. Su mente se esclarecía dentro del agua apacible, en silencio, cuando la cabeza desaparecía bajo la superficie. Por el momento, la noticia de la muerte de Alexander había alejado de su pensamiento el desconcierto que sentía respecto a la investigación del asesinato. No podía siquiera imaginarse cómo sería perder a un hijo. ¿Y si le ocurría lo mismo a Nils o a Petra? No se atrevió a pensar más en ello. Tenemos que aprovechar la vida mientras podamos, pensó. Todo puede cambiar de repente.

La tarde anterior estuvo hablando por teléfono un buen rato con Ingrid, la madre de Alexander. Sus dos hijos durmieron en casa de los Almlöv, acudieron allí sobre todo por Olivia. Le alegró que se preocuparan. Que pudieran sentir empatía. Al mismo tiempo, tuvo un ataque de mala conciencia por haber descuidado a Ingrid durante los últimos años. No la había llamado, excepto para hablar de los sucesos que acontecieron a raíz de la muerte de su marido. Después, la vida siguió su curso. Y ahora Alexander también estaba muerto.

Se dio la vuelta al llegar al bordillo y advirtió que había perdido la cuenta del número de largos. No importaba; echó un vistazo al reloj. Media hora sería suficiente. Dos señoras mayores con gorros de baño aparecieron en el bordillo de la piscina. Sus inestables y arrugadas piernas descendieron la escalerilla. Se metieron en el agua quejándose y riéndose tontamente y, para su satisfacción, eligieron la calle opuesta a la suya.

Pensó en Veronika Hammar. ¿Seguiría en la isla? Se maldijo por no haberla detenido después del interrogatorio. Sus argumentos para no haberse presentado a la Policía desde un principio fueron muy pobres.

Además, había estado en el lugar del crimen sin mencionarlo durante el interrogatorio. Veronika Hammar podría ser culpable de asesinato. Ahora lo único que tenían que hacer era detenerla.

Johan se hallaba sentado en la redacción con un peso en el estómago. Estos últimos días había estado tan ocupado con el asesinato en el palacio de congresos que había dejado de lado el caso de la agresión. Cuando recibió la noticia de la muerte se quedó helado y se le contrajo el corazón. Un muchacho de dieciséis años había perdido la vida en una pelea sin sentido, por un asunto absurdo. Unos segundos insignificantes habían detenido su futuro y arruinado la vida de una familia. Todo a causa de unas patadas en la cabeza. Era increíble.

En ese instante Johan decidió jugárselo todo con la serie de reportajes que Pia y él habían planeado para describir la situación actual de la violencia juvenil, sus causas, consecuencias y las medidas adoptadas para poner fin a la escalada. Les habían pedido que entregaran una noticia sobre la muerte de Alexander, y también algo sobre el seguimiento del asesinato de Algård. Pero ahora mismo, el caso de la paliza mortal le resultaba más importante.

Cuando Pia llegó lo sacó de sus tristes pensamientos. No dijo nada, apenas le acarició el hombro al pasar junto a él, que mantenía los ojos clavados en el ordenador.

Bebieron café y hablaron de la agresión.

Alexander cursaba el primer año de instituto en el Rickard Steffen de Visby. Decidieron empezar por allí.

Las banderas ondeaban a media asta bajo el sol primaveral. El director le había dicho a Johan por teléfono que ese día no tendrían clase y que lo dedicarían a hablar de Alexander. A las once se guardaría en el salón de actos un minuto de silencio. Llegaron justo a tiempo. La sala se encontraba abarrotada. No solo habían acudido los alumnos, profesores y resto del personal del instituto, sino también padres y hermanos de los alumnos. Pia y Johan tuvieron que quedarse de pie al fondo. Contraviniendo las tradiciones, no fue el director quien empezó a hablar. Cuando se apagaron las luces del salón de actos y un único foco iluminó el escenario, en él solo apareció una adolescente. Escuálida, enfundada en unos vaqueros, con una camiseta negra bajo la sudadera rosa y una larga melena también negra que le llegaba hasta los hombros. A Johan se le puso el pelo de punta cuando empezó a hablar diciendo: «Mi hermano ha muerto».

A continuación, Olivia Almlöv habló en voz baja y contenida sobre su hermano Alexander y lo que había significado para ella. Cómo crecieron juntos, los detalles triviales de su vida cotidiana, los intereses y planes de futuro de Alexander. Cómo se prepararon para ir a la fiesta aquel viernes por la tarde, de qué hablaron y qué hicieron cuando llegaron. Alexander bailó con una chica que le gustaba. Fumaba a escondidas y la última vez que lo vio fue cuando se disponía a salir con un par de amigos para dar unas caladas.

Jamás regresó.

Media hora más tarde vio a su hermano tirado en el suelo, golpeado hasta quedar desfigurado, en medio de un charco de sangre.

Así habían acabado los días de Alexander y su vida nunca volvería a ser la misma.

Ninguno de los presentes quedó impasible y entre las filas de bancos de la sala se escucharon algunos sollozos.

Después, el director habló de impedir que la muerte de Alexander hubiera sido en vano. Insistió en la importancia que este suceso tenía como señal de alarma, tanto para los jóvenes como para los adultos y la sociedad en general.

Johan y Pia quedaron muy afectados por sus palabras.

—Tenemos que hablar con los padres —propuso Johan—. Hace mucho tiempo que no hacen declaraciones.

—De acuerdo. Mira, esos de allí...

Pia cabeceó hacia una pareja que abandonaba de la mano el salón de actos.

Johan le dio un golpecito en la espalda al hombre y, cuando este se volvió, se presentó.

—¿Por qué han venido? —preguntó.

—Porque nuestro hijo fue testigo de los hechos y queremos mostrar nuestro apoyo —respondió el hombre—. A la familia de Alexander, pero también a quienes lo golpearon y a sus familias. Ellos también son víctimas.

—¿Cómo?

—¿Quién gana con esto? Nadie. Todos somos perdedores. ¿De qué se trata en realidad? Unos miserables segundos son vitales para muchas personas. Una ira repentina, una palabra altisonante, un gesto obsceno, una mirada envenenada. Cuando yo tenía su edad, esas cosas se dirimían a puñetazos, en el peor de los casos había una pelea pero se paraba cuando alguien sangraba o uno de los rivales caía desplomado. ¿Qué ocurre hoy en día? Siguen pateando a una persona que está en el suelo, ¡y en la cabeza! Algunos de ellos son capaces de golpear sin escrúpulos a alguien que se ha desmayado. ¿Cuál es la razón de que ya no haya límites, de que los jóvenes piensen que la vida carece de valor? Que tienen derecho a matar a otra persona solo porque se sienten insultados y ofendidos. ¿Por qué nuestros hijos acumulan tanto odio? ¿De dónde proviene? Esas son las preguntas que debemos hacernos.

Johan sostuvo en silencio el micrófono mientras Pia grababa. Se encontraban en el patio del instituto, a la salida del salón de actos, y cada vez se detenía más gente a escuchar el discurso incendiario del hombre. A su alrededor se congregó un grupo de personas.

El hombre prosiguió:

—Y la cosa no es tan sencilla como para descargar la culpa sobre los juegos de ordenador violentos o a la brutalidad en el cine y la televisión. Claro que embotan, pero no es ahí donde reside el núcleo de la cuestión. Se trata de la estructura social. Los adultos trabajan demasiado, están demasiado estresados y no tienen tiempo para dedicarse a sus hijos como antes. Y no me malinterprete, no quiero obligar a las mujeres a regresar a la cocina; pero todos los padres, tanto hombres como mujeres, necesitan dedicarles más tiempo a sus hijos. Los niños cada vez pasan más tiempo solos. Así son las cosas.

Abrió los brazos en un gesto de impotencia, guardó silencio y movió la cabeza. Luego siguió su camino entre la multitud y cruzó la calle.

Johan bajó despacio la mano con el micrófono, siguió con la mirada al hombre y a la mujer que se apresuraba tras él. La gente que los rodeaba no sabía dónde meterse. Algunos se escabulleron. Otros se quedaron como si no supieran qué hacer. Tengo que llamar a Grenfors, pensó Johan. Deberíamos tener una persona invitada en el estudio, quizá varias. Alguien lo interrumpió golpeándolo en la espalda. Alzó la vista desconcertado y vio a un joven alto, de cabello pelirrojo rizado, con vello y acné.

—¿Eres Johan Berg?

Asintió con la cabeza.

—Creo que conoces a mi padre. Me llamo Nils Knutas.

Siempre iba a la escuela en bicicleta. Incluso en invierno, cuando había montones de nieve. Aquel día de marzo la mayor parte ya se había derretido y los lirios y las campanillas de invierno asomaban al borde de la carretera. Nuestra clase pudo salir antes de la hora, ya que el profesor de trabajos manuales estaba enfermo. ¡Qué alivio!

Como de costumbre me dirigí con paso rápido a las taquillas, saqué mi mochila y abandoné el edificio escolar antes que nadie. Sin mirar alrededor me encaminé al aparcamiento de bicicletas y saqué la mía. Descubrí horrorizado que había olvidado el libro de inglés. Tenía que llevármelo a casa ya que el día siguiente había examen. ¡Mierda! Lo último que deseaba era volver a entrar.

Cuando llegué a la sala de las taquillas me tropecé con Steffe y Biffen mientras hablaban con unas chicas de otra clase del mismo curso. Todos se volvieron hacia mí. Evité sus miradas y me dirigí al armario, toqueteando torpemente las llaves. Me sentí aterrado cuando se me cayeron al suelo con gran estrépito. Steffe se acercó rápido como el rayo y llegó antes que yo. Las agitó al viento, entre tintineos. «Cógelas, si puedes.» Se reía con malicia, y la gruesa bola de *snus** que se había colocado bajo el labio se deshacía como negros riachuelos entre los dientes.

Los otros emitieron alguna que otra risotada, oí sus comentarios sobre el canijo, el tonto. Las mejillas me abrasaban, tenía

---

* Tabaco en polvo húmedo típico de Suecia y Noruega. Se consume colocando una porción debajo del labio. *(N. del T.)*

los ojos vidriosos. Por lo general, no me veían, no se fijaban en mí. Yo lo prefería. Tenía la boca seca, no podía articular palabra alguna. Esperaba. Tilín, tilín. El llavero seguía inalcanzable frente a mi nariz. Alcé la mano, intenté atraparlo. Steffe, que me sacaba una cabeza, retrocedió un paso. Empezó a moverse a mi alrededor. «Pitas, pitas.» Los demás se acercaron y formaron una piña. Tenía que coger las llaves. Con el rabillo del ojo vi a un profesor a lo lejos, en el pasillo. Desapareció enseguida.

Steffe sostenía el llavero por encima de su cabeza. El tintineo resonaba entre las frías paredes mientras lo agitaba. Sentía el cuerpo pesado como el plomo, mis movimientos eran torpes mientras intentaba recuperar el llavero. Las chicas se reían. «Mira qué orejas de soplillo.»

El llavero salió volando, desapareció a mi espalda y cayó dentro de una papelera. «Cógelas, ameba. Insecto miserable.» Corrí hacia la papelera. Allí estaba el llavero, entre cáscaras de plátano, restos de *snus* y chicle. Estiré la mano para cogerlo.

En ese mismo instante, Steffe y Biffen se abalanzaron sobre mí y me metieron la cabeza en la papelera. El borde de metal me produjo un corte en la frente, me apretaron el rostro, sentí el olor de la basura penetrando por la nariz. Intenté girar la cabeza, pero no conseguía moverla. Estaba atrapado. El pánico se apoderó de mí, no podía respirar. «Pringado, retrasado, tonto.»

Oía la voz de las chicas a mi espalda. «Dejadlo, dejad que se vaya. Coge tus jodidas llaves y vete corriendo a casa con mamá. No te mees por el camino…» Me dieron un último empujón antes de soltarme. «Malparido de mierda.»

Las piernas me temblaban mientras regresaba a casa en bicicleta. Contuve las lágrimas. No deseaba volver nunca más a la escuela. Quería quitarme la vida. Un camión se acercaba por la carretera. Durante unos segundos sopesé meter la bicicleta bajo sus ruedas. Cualquier cosa, lo que fuera con tal de no tener que regresar a la escuela. Huir de toda esa mierda. Huir de mi vida insignificante.

Después de aparcar la bicicleta en la parte trasera de la casa y abrir la puerta, oí de inmediato unos hipidos. Entré en el salón y ahí estaba ella. Sentada en un rincón, llorando.

—¿Qué te pasa, mamá? —pregunté—. ¿Ha ocurrido algo?

Conocía la respuesta. Nunca había pasado nada. Ella lloraba porque sí. Siempre encontraba una razón para hacerlo, nuevos problemas. Se fundía un fusible, se rompía un vaso o el coche no arrancaba. Un recibo era de mayor cuantía de lo esperado, la comida se quemaba o se le habían perdido las llaves. Los contratiempos cotidianos eran infinitos. Y siempre acarreaban las mismas catástrofes. Nada podía salir mal o ella se venía abajo.

Tuve que aguantar sus llantos toda mi vida. Mis entrañas eran un contenedor lleno de sus lágrimas. Desde que me levantaba cada mañana sentía cómo gorgoteaba en mi interior. No sabía qué sucedería el día en que rebosara.

—No —susurró—. Solo estoy triste.

Sentí un peso en el estómago, se me nubló la vista.

Me acerqué con cuidado. Olía a perfume y a cerrado, un aroma insulso. Tenía el rostro húmedo, hinchado y enrojecido. Su apariencia era grotesca.

—Ven, hijo, consuela a tu madre —dijo con voz llorosa.

Volví la cabeza para evitar su mirada. Ella alargó los brazos hacia mí, me abrazó. Como de costumbre, no supe qué decir para tranquilizarla. No encontraba las palabras. Estaba moqueando y sorbía, sus lágrimas resbalaron por mi jersey.

—¡Uf! Es horrible. Es tan duro, sabes. No es nada fácil ser madre en solitario. Me siento tan abandonada… Tengo que hacerlo todo yo. No aguanto más.

Lloró desconsolada, aulló y gimió, no hizo nada por controlarse delante de mí.

Me embargó una sensación de malestar y lástima al mismo tiempo; no sabía qué decir ni qué sentir.

—No te preocupes, mamá. Nos tienes a nosotros —dije, en un intento de consolarla.

–Sí, es una suerte –sollozó–. ¿Qué haría sin vosotros? Me hundiría. Vosotros lo sois todo para mí.

No vio el cardenal en la frente, no notó el olor a cáscara de plátano podrido en mi pelo.

Tenía de sobra con sus problemas.

La muerte de Alexander Almlöv provocó que la investigación del homicidio pasara a un segundo plano el miércoles.

Aun cuando Knutas no era el responsable del caso de la agresión, los periodistas deseaban hablar con él, ya que era el máximo responsable de la Brigada de homicidios. El hecho de que además le uniera una buena amistad con el padre de Alexander aumentaba el interés. Se pasó la mañana al teléfono.

Al mismo tiempo, le dio vueltas al motivo de la muerte de Viktor Algård, que quizá habría que buscarlo en el caso de Alexander. Los interrogatorios a los empleados del local no habían aportado gran cosa. Más testigos deberían haber presenciado la agresión, pero aún no se habían dado a conocer.

¿Podría ser que alguien del círculo de Alexander se hubiera vengado del dueño del club? Knutas había visto a Algård en infinidad de ocasiones justificarse ante los medios cuando le pedían explicaciones sobre su responsabilidad en las peleas entre jóvenes. Siempre había desechado las críticas. Esa actitud podía irritar a la gente. Tal vez, al final, alguien no pudo aguantar más.

Aún no había visitado el club tras el crimen. Tenía que hacerlo tan pronto como fuera posible. Quizá esa misma tarde.

Revisó los últimos datos con Rylander, de la Brigada central. El enjuto comisario dobló su delgado cuerpo y se sentó al otro lado del escritorio frente a un montón de papeles acumulados en una carpeta.

—Bueno, esto no resulta nada fácil —comenzó—. Hay mucha gente involucrada.

—Lo entiendo —respondió Knutas, participativo—. Tenemos dos asesinatos. Aunque sean muy diferentes, ambos se han cometido a plena luz y en presencia de mucha gente con ganas de fiesta. Una de las cosas más difíciles que hay es interrogar sobre un crimen a personas más o menos ebrias.

—Es cierto —reconoció Rylander—. Lo extraño sería lo contrario. Y los interrogatorios que se han realizado apenas nos han aportado gran cosa. A mí me parece que lo más interesante de todo es esto.

Sacó unos papeles de la carpeta.

—Uno de los colaboradores de Algård, Rolf Lewin, el responsable del bar, también se encontraba en la inauguración del palacio de congresos. Estuvo ayudando en el bar.

—¿Ah, sí?

—En realidad, quizá no sea tan raro. Viktor solía utilizar a los mismos camareros en distintas ocasiones. Pero durante los interrogatorios nos hemos enterado de que Viktor y él tenían serias diferencias. Quizá valga la pena hablar de nuevo con el responsable del bar.

—¿Qué más sabes de él?

—Si quieres mi opinión llena de prejuicios, se trata del típico roquero trasnochado. Vive solo en un apartamento de dos habitaciones en Visby, está soltero y sin hijos. Aparenta unos treinta y cinco años y el cabello le sale disparado en todas direcciones, luce un *piercing* en la ceja y va siempre con un pitillo entre los labios. Los capilares de la nariz evidencian que suele beber unas copas de más.

—De acuerdo, quizá vaya a verlo —murmuró Knutas—. ¿Algo más?

—No mucho. Ninguno de los porteros tiene un pasado inmaculado, pero no hay nada que los involucre en la muerte de Viktor Algård. Además, ambos tienen buenas coartadas.

—¿Y cuáles son?

—Pasaron la noche del sábado con la familia y no salieron de casa.

Cuando acabaron, el reloj marcaba la una y a Knutas le rugían las tripas. La sesión de natación matutina contribuyó a que se sintiera aún más hambriento. Llamó a la puerta de Karin y le preguntó si tenía ganas de salir a comer con él. Necesitaba tomar el aire y estirar las piernas. El bullicioso restaurante de empleados no resultaba una alternativa atractiva.

Durante el invierno, en Visby no había muchos restaurantes entre los que elegir, pero el Café Ringduvan era un local agradable que se encontraba cerca de Österport. Encargaron el plato del día en la barra y se sentaron en una de las mesas de la terraza. El sol calentaba. Karin encendió un cigarrillo.

—¿Has vuelto a fumar? —preguntó Knutas.

—Quién fue a hablar, el tipo de la pipa…

—Nunca la enciendo.

—Claro que sí.

Era consciente de que Karin solo fumaba cuando le preocupaba algo.

—El otro día me dijiste que me contarías qué es lo que te inquieta en alguna ocasión. ¿Esta es buena?

—En absoluto. Tenemos que hablar de trabajo. Además, si te soy sincera, no creo que pueda hablar de ese problema contigo. Es demasiado complejo.

Knutas posó su mano sobre la de ella.

—Soy tu amigo, Karin. No lo olvides.

—¿Cómo de grande es tu amistad?

La miró interrogativo, sorprendido por la pregunta.

—Muy grande. Seguramente más de lo que piensas.

—De acuerdo. Lo tendré en cuenta.

—Hazlo —Knutas suspiró—. Es como si no avanzáramos. En la investigación, quiero decir —aclaró, para que ella no creyera que se refería a ellos dos, aunque así era.

—Sí —asintió Karin—. La investigación de la paliza no ha dado muchos frutos. Nada indica que esté relacionada con el asesinato. Pero es terrible que el muchacho haya muerto.

—Yo pienso en Ingrid, su pobre madre. Hablé con ella ayer. Estaba destrozada, claro. Perder a un hijo tiene que ser una de las peores cosas que le puede ocurrir a una persona.

Knutas agitó la cabeza. Le dio un trago a la cerveza sin alcohol y observó a Karin. Ella tenía la mirada perdida.

—¿Qué pasa?

—No me encuentro bien. Tengo que ir al baño.

Apagó el cigarrillo, se puso en pie y desapareció.

Knutas la siguió con la mirada, preocupado por ella.

El local que albergaba el Solo Club, la discoteca juvenil, se encontraba a las afueras del puerto, encajado entre un restaurante familiar y un local de alquiler de bicicletas. Knutas se había citado con el encargado del bar a las tres, pero llegó antes de la hora. El camarero le invitó a café y le indicó que se sentara a esperarlo.

A los pocos minutos apareció Rolf Lewin. La descripción de Rylander no era equivocada: alto y de cuerpo atlético, el pelo pincho teñido, *piercing* en una ceja, camiseta con una batería estampada, un grueso collar y los pies enfundados en un par de Converse negras como las de Nils. Tenía un rostro expresivo y agradable, y esbozó una sonrisa al presentarse.

—Como sabrás, estamos investigando el asesinato de Viktor Algård. Teniendo en cuenta que aquí murió maltratado un joven, consideramos que indagar en el lugar del suceso podría ser de interés para la investigación.

—Muy bien, pero la Policía ya ha estado aquí varias veces.

Knutas alzó la mano, interrumpiéndole.

—Lo sé. Ahora nos gustaría saber tu opinión sobre una posible relación entre los hechos. ¿Has visto o has oído algo sospechoso, o has notado si alguien detestaba a Viktor Algård?

—Todos adoraban a Viktor, era un tipo alegre. Tenía buenas intenciones, pero no sabía dónde se metía cuando puso en marcha las noches dedicadas a los jóvenes. Salió mal. Se negó a reconocer los problemas, solo le interesaba el dinero.

—¿Qué opinión le merecían a Viktor los problemas?

—Desde el principio hubo jaleo, eso es algo que no se puede negar. Muchos llegaban ebrios, introducían alcohol en el local o lo bebían fuera. Los porteros hacían todo lo que podían, pero nos resultaba imposible controlar lo que sucedía en el exterior. Ocurrieron un par de altercados graves antes de que pasara lo de Alexander Almlöv, pero Viktor no quiso saber nada. Creyó que las cosas se calmarían con el tiempo.

—¿Qué cosas?

—Peleas entre jóvenes rebosantes de adrenalina que han bebido más de la cuenta. Una vez apareció una chica diciendo que la habían violado en el cuarto de baño, pero nadie le hizo caso. Bueno, esa noche no trabajaba yo, pero me enteré después —se apresuró a añadir, y miró disculpándose al comisario.

Knutas frunció el ceño.

—¿Y el asunto no se denunció? Me refiero a la violación.

Rolf Lewin negó con la cabeza.

—Parece una locura pero nadie sabía de quién se trataba. Es decir, cómo se llamaba la víctima y dónde vivía. Salió a la calle, estuvo llorando y habló con los porteros. Tenía la ropa revuelta y una herida en el rostro, pero estaba muy borracha y se marchó con una amiga que la consolaba. Los porteros pensaron que darían una vuelta a la manzana y luego volverían, y así podrían hablar con la chica, pero no regresó.

—¿La dejaron irse pese a decirles que la habían violado?

—Lo siento. Pero como decía, había mucho jaleo durante las fiestas, no podíamos controlar a los jóvenes. Sencillamente no éramos capaces de hacerlo. Intenté explicarle el problema a Viktor, pero no quería oír hablar de eso. Todavía nos quedan tres noches reservadas para jóvenes, pero después tendrán que acabarse.

—Ahora tú eres el encargado tras la muerte de Algård, ¿no?

—Sí, por el momento.

—¿Y estabas en contra de estas veladas de adolescentes?

—Al principio, no, aunque muy pronto comprendí que nos desbordaban. Cierto que ganábamos mucho dinero con ellos, pero no valía la pena. Uno tiene que pensar en los chavales. ¡Tenemos una responsabilidad, maldita sea!

—¿Viktor y tú no estabais de acuerdo en ese punto?

—Así es.

—¿Cuándo ocurrió el incidente de la violación?

—Fue la noche de Santa Lucía, hace casi cuatro meses.

—¿Y todavía desconoces la identidad de la chica?

—Sí, no tengo ni idea.

—Trabajaste en el bar el día de la inauguración del palacio de congresos.

—Sí, es cierto.

—¿Por qué lo hiciste?

—Necesitaban a alguien y a mí no me iba nada mal ganar algo extra.

—¿Viste algo raro esa noche? ¿Alguna persona que resultara sospechosa?

—No, creo que no.

—Y que Viktor tuviera una relación con Veronika Hammar, ¿fue algo que notaste durante la fiesta? Ella también estuvo allí.

El rostro de Rolf se iluminó.

—Sí. Estuvieron hablando en el bar. No mucho, solo un rato. Les serví una copa.

—¿Cómo?

—Mejor dicho, le preparé una bebida a Veronika Hammar. Lo recuerdo, en particular, porque fue un encargo de un admirador desconocido —aclaró, y parpadeó.

—¿Qué quieres decir?

—Bueno, un tipo se acercó y pidió un daiquiri de fresa sin alcohol para que se lo sirviera a ella.

—¿Le entregaste la bebida a Veronika?

—Sí.

—Y el hombre que la pidió, ¿cómo era?

—Bueno, apenas lo recuerdo. No tenía ningún rasgo especial. Alto, de unos cuarenta años, vestía un traje gris, creo, cabello rubio. Llevaba gafas de montura negra. Parecía un modelo de Armani.

—¿No era nadie conocido?

—No, no lo había visto antes. No creo que fuera de aquí.

—¿Qué te hace pensar eso?

—No lo sé. Es solo una corazonada.

Knutas pensó que teniendo en cuenta que Rolf Lewin aseguraba no recordar nada apenas, su capacidad de observación era asombrosa; al mismo tiempo, se le ocurrió una nueva idea.

—¿A qué hora de la noche sucedió eso?

—El show acababa de comenzar, así que sería justo después de medianoche.

—¿Viste si ella probó la bebida?

—Creo que no. Le dio el vaso a Viktor. Luego él bajó por la escalera que había detrás y ella se fue en otra dirección. Había tanta gente y yo estaba tan ocupado que no pensé más en ello.

—¿Recuerdas cómo se expresó exactamente el hombre?

Rolf Lewin pareció recapacitar.

—A ver, primero encargó la bebida sin decir nada particular. La preparé, me pagó en metálico y dejó una buena propina.

—Intenta ser más preciso —presionó Knutas—. ¿Te dio el dinero exacto?

—Por Dios, cómo diablos voy a… Sí, ahora lo recuerdo. Pagó con un billete de quinientas coronas; la bebida costó ochenta y cinco y me dijo que le devolviera cuatrocientas. Así fue. Quince coronas de propina.

—¿Y luego?

—Bueno, después de devolverle el cambio, me pidió que le entregara la copa a Veronika Hammar.

—¿A qué distancia se encontraban uno de otra, Veronika y el hombre desconocido?

—Cada uno estaba a un extremo del bar, quizá hubiera diez metros de distancia, y mucha gente entre ellos, claro. Le dije a Veronika que la bebida era de un admirador, pero cuando fui a señalárselo, el tipo había desaparecido.

Knutas escuchó con creciente interés. El relato del camarero le daba a la investigación un giro sorprendente.

Agradeció la ayuda de Rolf Lewin y abandonó el local con paso rápido.

Tan pronto como regresó a la comisaría le pidió a Karin que acudiera a su despacho. Expuso su teoría basada en lo que el barman le acababa de contar. Karin permaneció sentada en silencio en el sofá de visitas y escuchó con una expresión de sorpresa reflejada en el rostro.

—¿Quieres decir que el asesinato de Viktor Algård fue un error? ¿Que el cianuro no era para él?

—En efecto; era para Veronika Hammar.

Extendió las manos.

—¡Hemos seguido la pista errónea! El hombre que encargó la bebida. Es a él a quien tenemos que buscar.

—¿Y el vaso?

—Se ha registrado todo el edificio y todas las malditas papeleras y rincones de los alrededores del palacio de congresos. El asesino se lo llevó.

—¿Y cómo vertió el veneno en la bebida?

—No se necesita mucho tiempo para vaciar una ampolla. Es cuestión de segundos. Lo pudo hacer mientras el camarero se encontraba ocupado con el cambio del billete de quinientas coronas con el que pagó.

—Esto pone todo patas arriba —constató Karin—. Tendremos que empezar de cero.

—Por supuesto —respondió Knutas, circunspecto—. Tenemos que reunirnos todos.

La casa no era nada del otro mundo. Se trataba de la típica casita de verano de los años sesenta con revestimiento de madera marrón oscuro y una chimenea en ruinas. El interior estaba decorado con sencillez. La entrada daba a un largo recibidor. En la pared había unos ganchos de los que colgaban chaquetas, chalecos y bolsos de todo tipo. Había botas de agua, zuecos y zapatillas en el suelo. En un rincón reposaban un par de bastones apoyados contra la pared. La pequeña cocina disponía de una ventana que daba al bosque. Alfombras de plástico en el suelo, papel de flores marrones en las paredes. Encimera laminada, pila de fregar y una cocina que parecía tener treinta años como poco. Más allá se encontraba un gran dormitorio con una cama de matrimonio, un buró y fotografías de un par de niños en las paredes. El salón tenía el suelo de madera y una sencilla chimenea. En una esquina, una cortina de ganchillo ocultaba un vestidor. El mobiliario consistía en un sofá, una mesa, una estantería y una mecedora.

Cayó la noche. Calentó una sopa para cenar y la acompañó con un par de sándwiches. Parecía como si al otro lado de la ventana, sobre Gotland se hubiera apagado una gran lámpara. Estaba oscuro como boca de lobo. En el campo no se veían luces por la noche, solo la luna cuando el cielo estaba despejado. Entonces podía esparcir su brillo azulado sobre la copa de los árboles y las alas de los murciélagos que revoloteaban sobre su cabeza cuando iba a la letrina. Esa noche se quedó sentada a la mesa después de comer, con la vista clavada en la mecha de una vela encendida en un candelabro de hierro.

Durante todo el día tuvo la extraña sensación de que alguien la observaba, pero no supo desde dónde. Primero creyó que se trataba del gato. Se había pasado el día fuera y no apareció cuando lo llamó. Quizá la observaba en la distancia y disfrutaba burlándose de ella. Dejaba que estuviera allí llamándolo en su obstinado intento por atraerlo.

Se había escapado a las afueras, a pesar de que detestaba la soledad. Durante el verano era un paraíso, cuando el resto de propietarios daba vida a la zona y las noches eran claras. Durante el invierno era un tormento, con oscuridad, soledad y viento. Pero no había otra salida. Tenía que huir, alejarse de todo lo relacionado con Viktor y la investigación policial, de la mirada curiosa de la gente que parecía saberlo todo.

Escuchó en tensión posibles sonidos, pero solo percibió el rumor del mar y cómo el viento azotaba las copas de los árboles. Algo había en las paredes que la inquietaba. Quizá fueran sus propios fantasmas.

Miró hacia el vano de la puerta que daba al recibidor. Se puso en pie y comprobó si había corrido el cerrojo de la puerta de la calle. Sí, estaba bien cerrada. Clavó la vista en ella, desconfiada. En realidad, ¿qué importaba que estuviera cerrada con llave? Cualquier hombre medianamente fuerte podría patear con facilidad esa puerta acartonada. Tenía que aceptar que se encontraba completamente desprotegida, abandonada a quien quisiera explorar las casas de una zona apartada.

Preparó café y encendió el televisor. En la 2 pasaban *Pregúntale al doctor* y en la 1, la reposición de una serie que ya había visto. En TV4, un programa infantil. Suspiró y volvió a la 2, donde hablaban sobre el cáncer de próstata. Por lo menos había algo de conversación y el fondo era colorido, aunque esa compañía a duras penas alejó sus malos pensamientos. Fue a la cocina, se sirvió una taza de café y se quedó paralizada. Percibió algo fuera, en la oscuridad. Como una sombra. De pronto, fue desagradablemente consciente de que desde el exterior se la tenía que ver con toda claridad dentro de la cocina iluminada. A tientas, buscó nerviosa el interruptor.

Cuando el interior quedó a oscuras pudo ver el exterior con más claridad. Se acercó a escondidas a la pequeña ventana. Sondeó el jardín de un lado a otro. El césped que se hallaba cubierto de hojas, agujas de pino y ramas caídas durante las tormentas de invierno; el cobertizo de las herramientas, la casita de juegos y la letrina. Nada. Regresó al salón, apagó todas las luces. Sopló la vela. Si alguien se movía allí fuera, por lo menos no podría seguir sus movimientos. También apagó la luz del recibidor. La casa carecía de cortinas y de persianas. Ella creyó que las persianas no eran necesarias, ya que solo pasaba allí los veranos y le gustaba que la luz inundara toda la casa. Día y noche. Las cortinas acumulaban humedad y, además, tapaban las vistas. En ese momento hubiera dado cualquier cosa por tenerlas. El corazón latía desbocado en su pecho. ¿Quién podría acecharla? Nunca le había hecho daño a nadie. Aunque comenzó a dudar. Apagó la televisión y aguzó el oído. Templó todos los sentidos. Lo único que oyó fue el viento. Se sentó en el sofá del salón a oscuras y esperó. Pasó media hora, y otra media hora más. No sucedió nada. Su irritación iba en aumento. ¿Tendría que permanecer como una rata en una jaula? Para colmo de males comenzó a sentir unas terribles ganas de ir al baño y no tenía ningún orinal. Le repelía hacer pis en uno de los recipientes para la comida. Cuando pasó otra media hora se rindió. No podía aguantar. Además, la rabia se había apoderado de ella. No pensaba dejarse asustar en su propia casa. No, no era realmente suya, pero disponía de ella gracias a que unos conocidos vivían en el extranjero. Deseaban mantener la casa de veraneo propiedad de la familia y se la habían dejado usar gratuitamente desde que los niños eran pequeños. Se había adueñado de ella y la quería por encima de todo.

Se puso la chaqueta, se calzó las botas. Dudó durante unos segundos con la mano posada en el picaporte.

A continuación giró la llave y abrió la puerta.

Cuando Knutas vio el telediario regional de la tarde en la sala de descanso de la comisaría, el mundo a su alrededor palideció y desapareció. La primera parte no trató de Viktor Algård sino de la agresión mortal a las puertas del Solo Club. Le conmovió la entrevista con el padre de uno de los testigos. La hermana, el director de la escuela y otros jóvenes también hablaron. Cuando de repente vio aparecer en la pantalla a su propio hijo, le resultó difícil respirar. La voz en off de Johan anunció:

«Varios jóvenes fueron testigos de los hechos; uno de ellos fue Nils Knutas. No había querido decir nada de lo que vio por miedo a represalias, pero hoy ha decidido dar la cara».

Nils se hallaba en el lugar de los hechos, señalaba hacia donde había estado con sus compañeros, apenas a unos metros de distancia, mientras golpeaban a Alexander sin que ninguno de ellos se atreviera a intervenir. Habló de sus remordimientos, del miedo que había pasado y la impotencia que sintió. Contó que, cuando los agresores se marcharon corriendo de allí, se acercaron a Alexander y le tomaron el pulso, vieron sangre y un amigo llamó a la Policía y a la ambulancia. Él se marchó, abandonó el lugar sin ser capaz de hacer nada en absoluto.

—¿Por qué has esperado hasta ahora para aligerar tu conciencia? —preguntó Johan.

Nils miró serio a la cámara al responder:

—Ha sido gracias a la hermana de Alexander, a su discurso en el salón de actos. Si Olivia se atreve a ponerse delante de cientos de personas y contar cómo se siente, ¿cómo puedo permanecer en silencio?

Así acabó la noticia. A continuación siguió un debate en el estudio con distintos participantes; Knutas los vio borrosos, no sabía quiénes eran, ya no oía lo que se decía. Estaba sentado, paralizado en el sofá, sin poder moverse. Karin, que se encontraba a su lado, le acarició el hombro y se puso en pie sin decir nada.

Después de que ella abandonara la habitación y cerrara la puerta, sucedió algo que no ocurría desde hacía años.

Knutas lloró.

Knutas abrió la puerta de la casa de Bokströmsgatan con una sensación de vacío en el cuerpo. Su desesperación no tenía fin. Durante varias semanas Nils había guardado silencio sobre su presencia durante la agresión. Knutas no sabía qué era peor, si que su hijo se lo hubiera ocultado en calidad de padre o de policía.

Intentó hablar con Line pero el teléfono de casa comunicaba y no respondió al móvil.

Cuando entró en el recibidor, la casa estaba en silencio. Colgó la chaqueta sin gritar su «¡hola!» habitual. Se oía la televisión en el salón, un programa de preguntas. Line se hallaba sentada en el sofá esquinero con la lámpara de leer encendida. Tenía el periódico sobre las piernas. Alzó la vista cuando apareció en el umbral.

—Hola, tesoro —saludó en voz baja—. Ven y siéntate.

Comprendió al instante que había visto las *Noticias regionales*.

—¿Dónde está Nils?

—En su cuarto.

—¿Has hablado con él?

—No. Quería esperar a que vinieras.

Gritó tan alto como pudo.

—¡Nils!

—Tómatelo con calma —le exhortó—. Para él tampoco ha sido fácil.

Knutas no le prestó atención. Clavó la vista en la escalera. Oyó cómo se abría despacio una puerta en el piso de arriba y una voz.

—¿Qué pasa?

—Baja.

—Estoy estudiando.

—¡Baja inmediatamente!

Nils se asomó. Tenía el semblante serio y pálido, los rizos pelirrojos más revueltos que de costumbre, la camiseta arrugada, un agujero en la rodillera de los vaqueros.

—¿Qué pasa?

—No te hagas el tonto. ¡Baja ahora mismo!

Se arrepintió al momento de su tono de voz alterado, pero ya era demasiado tarde.

Knutas dio un par de zancadas en el salón y apagó el televisor, se dejó caer junto a Line e indicó a Nils que se sentara en el sillón que había enfrente. La rabia se sobrepuso a la pena, ya que carecía de las herramientas para manejar la situación. Se encontraba sobre un témpano de hielo a la deriva, en alta mar, en un océano helado y abismal.

—¿Nos puedes explicar a tu madre y a mí por qué durante todo este tiempo no nos has dicho nada sobre que presenciaste la agresión a Alexander, y tan pronto aparece un periodista con un micrófono hablas como si te hubieran pagado por hablar?

Nils lo miró desafiante. Una mirada llena de desprecio.

—Ninguno de vosotros dos me preguntó nada.

Las palabras llegaron tan de repente que Knutas perdió la calma. Le lanzó una mirada a Line. Ella apenas negó con la cabeza y ocultó el rostro entre las manos.

—Siempre te preguntamos cómo estás y cómo te ha ido, tú eres quien no quiere contar nada, pero nosotros intentamos…

—Tú estás tan ocupado con tus cosas… ¡No te importa cómo me siento ni qué hago! Solo pretendes interesarte, pero lo único que te importa es tu trabajo de policía.

Knutas se quedó pasmado. Le pilló por sorpresa. En su inocencia, pensó que Nils se sentiría arrepentido y pediría disculpas.

—¿Qué quieres decir?

—Que no te preocupas, todo lo que haces es dar la lata con tus malditas investigaciones y con tus cosas y eso me importa una mierda. ¿Por qué tendría que contarte algo? Pretendes que te importamos, pero lo único que haces es arrastrarnos de vez en cuando a hacer algo que a ti te gusta. Como cuando fuimos al campo de golf. Fuimos allí solo porque tú querías, aunque intentes parecer un padre maravilloso que hace cosas divertidas con sus hijos.

Knutas tenía las mejillas rojas de ira, pero intentó conservar la calma.

—Reconoce que estás siendo injusto. De acuerdo que hay momentos en los que hablo mucho del trabajo, pero solo cuando estoy involucrado en algo importante, ¿eso te parece tan extraño? Y todas las cosas divertidas que hemos hecho durante todos estos años, como comprenderás no solo las he hecho por mí. Todas las excursiones que hicimos desde que erais pequeños. Hemos estado en Kneippbyn y Vattenland no sé cuántas veces. También hemos ido a Legoland y al mundo de Astrid Lindgren, y hasta hemos montado en ponis islandeses, y tú sabes el miedo que me dan los caballos. ¿Te has olvidado de todo eso? Creo que a veces podrías mostrar un poco de gratitud y no pasarte todo el tiempo enfadado y siendo tan egoísta. ¡Tu madre y yo hacemos lo que podemos!

Nils tenía la vista fija en sus manos; ni siquiera miró a su padre. Dijo en voz baja.

—No estoy enfadado con mamá. Ella siempre nos ha echado una mano, no como tú.

Knutas observó pasmado a su hijo. No podía creer lo que oía. Tragó saliva. Reinó un momento de silencio mientras intentaba encontrar las palabras.

—Ahora no sé qué quieres decir, Nils. ¿De verdad piensas que yo nunca os echo una mano?

—Sí, claro que a veces lo haces. Sobre todo cuando éramos más pequeños. Ahora nunca tienes tiempo.

Knutas se recostó en el sofá. La habitación comenzó a girar despacio. Respiró hondo un par de veces. Parpadeó para apartar una lágrima. Line permanecía sentada en silencio, seguía ocultando el rostro tras sus manos.

La conversación con Nils no se había encaminado hacia la reconciliación familiar que él había esperado. Se sentía conmocionado ante el desprecio de su hijo.

—¿Pero por qué no nos dijiste nada? —rogó—. ¿Por qué no nos contaste lo que habías visto?

—Porque no quería.

—¿No querías? ¿No comprendes lo serio que es esto? ¡Eres un testigo, joder!

—Tranquilo —protestó Line—. Maldita sea, Anders, tú eres policía y deberías saber lo difícil que puede resultar reconocer que uno ha visto algo, pero no ha podido intervenir o no se ha atrevido a hacerlo.

Nils lo fulminó con una mirada de burla.

—Ves, lo único que te preocupa es tu trabajo de policía. «Eres un testigo» —lo imitó, con la voz llena de desprecio—. Te importa una mierda cómo me encuentro, cómo me siento después de haber visto a unos pirados partirle la crisma a Alexander.

Nils mostró un semblante resuelto y fuego en la mirada al dirigir la vista a su padre.

—¿Por qué tendría que contarte algo? ¡Dame una sola razón!

Se puso en pie y abandonó el salón corriendo.

Segundos después, la puerta de la calle se cerró de un portazo.

Apesar de la larga jornada laboral, Johan no se sentía cansado y no le agradaba la idea de regresar a la casa de Roma vacía después del trabajo. Emma se había llevado a Elin a ver a sus padres a Fårö. Cuando él llamó estaban sentados frente al fuego bebiendo café irlandés. Ella alabó el reportaje y su voz le produjo una sensación de calidez.

Pia se marchó de la redacción tan pronto como acabaron y desapareció; lo más probable es que fuera a casa del pastor de ovejas. La cosa parecía seria. Por lo general, no solía mostrar tanto interés.

Se quedó sentado frente al ordenador y dedicó unas horas a navegar por internet sin rumbo. Acabó en la página del Solo Club. Estaba abierto. Había hecho unos cuantos reportajes sobre el caso Alexander desde fuera del local, pero nunca había visitado la discoteca por la noche, cuando los jóvenes se encontraban allí.

El reloj marcaba las diez cuando abandonó el edificio de la televisión. Caminó por la ciudad hasta el puerto. Skeppsbron se hallaba repleta de jóvenes. Muchos aparentaban tener menos de dieciocho años.

A la entrada del Solo Club, donde habían ocurrido los hechos, había una larga cola. El encargado de la puerta reconoció a Johan y lo llamó con la mano. En el interior de la discoteca la música retumbaba y la pista de baile se hallaba abarrotada. Le sorprendió la vestimenta de las chicas. Muchas de ellas iban exageradamente ligeras de ropa, enfundadas en mínimas camisetas de tirantes y *shorts* que apenas les cubrían el trasero. Algunas de ellas solo llevaban bragas de encaje y camiseta de tirantes, y una joven de grandes pechos bailaba en sujetador. Johan no pudo creer lo que veían sus ojos; ¿así se vestían las jóvenes de hoy? Era alarmante y solo eso valía un reportaje. Los chicos resultaban más normales, la mayoría llevaba vaqueros y camiseta o camisa. Alguno que otro se paseaba con el torso desnudo. Pidió una cerveza y se quedó junto a la barra. No tardaron en aparecer unas chicas que no aparentaban tener más de catorce años, quizá quince, pidieron unas coca-colas. Una vestía sujetador y mini *shorts*. Se inclinó hacia ella, y para hablarle se vio obligado a gritarle al oído para ahogar la música.

—¿Por qué vas vestida así?

Ella sonrió y lo observó sin comprender. Sus ojos apenas se distinguían tras la gruesa capa de sombra de ojos torpemente aplicada y el espeso manto de maquillaje que le cubría el rostro. Llevaba los labios recubiertos de crema blanca y el cabello desmelenado bañado en laca. Típico de quinceañeras.

—¿Qué?

—¿Por qué solo vas vestida con ropa interior?

Sonrió de nuevo, insegura, con la mirada perdida. Le dio la espalda y siguió hablando con sus amigas. Vio cómo una de ellas sacaba una pequeña botella del bolso y vertía el contenido en el refresco. Llamó al camarero con la mano.

—¿Ha cambiado mucho el local después de la agresión?

El camarero se encogió de hombros.

—Nada. Las primeras semanas fueron más tranquilas, pero ahora tenemos la misma cantidad de gente y de borrachos. Como si nunca hubiera pasado nada.

—¿Cómo controláis que los menores no consuman alcohol?

—No se puede. Lo único que podemos hacer en el bar es servir solo a los que puedan enseñar su documento de identidad. Pero es imposible controlar si beben antes de venir u ocultan botellas entre los setos y beben cuando salen a fumar o si hay gente fuera que se lo vende.

—Aunque seguro que hay personas que introducen alcohol a hurtadillas.

—Claro. No podemos registrarlos a todos. Las cosas son como son.

Se encogió de hombros y siguió con su trabajo.

Johan pagó, se bebió la cerveza y abandonó el local.

Fuera, el ambiente estaba tan animado como en el interior. Unos adolescentes fumaban, un grupo de chavales soltaba risotadas y se pasaban una botella de cerveza, una pareja se abrazaba y se besaba sin recato alguno. Había una joven sentada algo más allá con la cabeza entre las manos. Parecía sentirse mal. Johan se sentó a su lado.

—¿Qué tal estás?

Posó con cuidado la mano sobre sus delgados hombros. Cuando ella alzó la vista se sobresaltó. La chica estaba muy maquillada pero apenas aparentaba doce o trece años. Tenía los ojos entrecerrados y el rostro pálido.

—Me siento mal.

No consiguió decir nada más antes de vomitar. La ayudó, la limpió. Ella lloró, él la consoló.

—¿Cómo te llamas?

—Pernilla.

—¿Dónde vives?

—En Hemse.

¡Dios mío!, pensó Johan. ¿Qué clase de padres eran esos que dejaban salir a una niña por la noche a decenas de kilómetros de casa? Además, estaba completamente borracha. Buscó en los bolsillos de la chaqueta de la chica y encontró un móvil. Había varias llamadas perdidas de su madre. Llamó. Respondió una voz risueña de mujer, con una música estridente de fondo.

—¿Sí?

—Hola, me llamo Johan Berg y estoy con su hija Pernilla.

—¿Sí?

—Estamos en Visby y siento decírselo, pero su hija está muy borracha.

La voz rezumó preocupación.

—¿Qué? ¿Es cierto?

—Lo mejor será que venga a buscarla. Ella no se apaña sola.

Oyó varias voces exaltadas de fondo.

«¡Dios mío! Pernilla está borracha. Quién puede ir a buscarla, todos hemos bebido. Susana está embarazada, ella es la única que puede conducir. No teníamos que haberla dejado ir a la ciudad. Ya lo dije yo, que no teníamos que dejarla ir. ¿Dónde están sus amigas? ¿De dónde han sacado el alcohol?»

Pasados unos minutos, la mujer regresó.

—¡Sí, claro! Mi marido irá a buscarla. ¿Dónde está?

Johan explicó dónde se encontraban.

La chica vomitó varias veces más. No sabía dónde estaban sus amigas. Cuando Johan le preguntó su edad, le contestó que estaba en sexto. ¡Dios mío! Pensó. Solo tiene doce años, uno más que Sara, la hija de Emma. ¿Estaría ella así dentro de un año?

Permaneció junto a Pernilla casi una hora y la ayudó a devolver todo lo que había ingerido. Por fin, un coche frenó y se apeó un hombre de su misma edad. Vestía camisa y vaqueros y parecía estresado. Justo detrás de él apareció una mujer en avanzado estado de gestación. Era ella quien conducía.

—Mi pequeña —exclamó el hombre, y abrazó a la niña ebria—. ¿Cómo estás? Ven aquí. ¿Dónde están Agnes y Mimmi?

Se llevó a la niña y la introdujo en el coche mientras hablaba. Le lanzó a Johan un «gracias por todo» antes de que el coche arrancara con brusquedad y desapareciese.

Johan caminó desaminado por la ciudad hacia la redacción. Se sentía abrumado. Veía el hermoso rostro inmaculado de Sara. Había comenzado a maquillarse de vez en cuando. ¿Era esto lo que esperaba a la vuelta de la esquina? Sintió un escalofrío solo de pensarlo. Al mismo tiempo, le pareció indignante que las fiestas del Solo Club prosiguieran tras la muerte de Alexander Almlöv como si nada hubiera pasado.

Como si la agresión nunca hubiera sucedido.

Se despertó con un ataque de tos. Sintió un olor penetrante, le lloraban los ojos. Salió de la cama dando tumbos, comprendió aterrorizada que la envolvía una espesa capa de humo. Antes de irse a dormir había cerrado la puerta del dormitorio, ya que se había asustado la noche anterior.

El humo entraba por las rendijas y el calor resultaba insoportable. Apretó los ojos y la boca. El dormitorio se encontraba al fondo de la casa, detrás de la cocina. Primero pensó en abrir la puerta y salir, pero mientras intentaba sujetar el candente picaporte comprendió que, al otro lado, la casa estaba en llamas. Cogió la lámpara de pie y la lanzó contra la ventana para romper el cristal. Le picaban los ojos, apenas era capaz de mantenerlos abiertos, el humo la aturdía; se esforzó por no perder el aliento. Le costó abrir la aldabilla, saltó por la ventana y cayó sobre el césped. Conmocionada y extenuada, se arrastró lo más lejos posible del fuego.

No se atrevió a darse la vuelta hasta que se encontró junto a la letrina. Se sentó con la espalda apoyada en la pared y observó enmudecida el espectáculo que se estaba desarrollando ante sus ojos. La casa ardía por los cuatro costados y las llamas se alzaban a varios metros de altura, llamas que se elevaban enfurecidas hacia el oscuro cielo nocturno. No podía moverse, solo permanecer sentada y ver cómo se consumía ante sus ojos la casa, aquella casa en la que había pasado tantos veranos y de la que guardaba tantos recuerdos. No había podido sacar ningún objeto. Tenía el cuerpo entumecido, al igual que la mente; no se atrevió a sentir nada.

No había nadie cerca, solo el fuego y ella compartían el espacio. No podía comunicarse con el mundo, no tenía móvil y la granja más cercana se encontraba situada a varios kilómetros de distancia. Tuvo un pequeño vahído y sintió que estaba a punto de dormirse.

Entonces oyó las sirenas.

Fue una noche de insomnio. Knutas no paró de dar vueltas en la cama. Se rindió tras varias horas de vanos intentos por dormir. Se escabulló de la habitación y bajó a la cocina, donde se sirvió un vaso de leche y unas galletas. Se sentó a la mesa de la cocina emitiendo un suspiro. El gato subió de un salto y se pegó a Knutas en busca de caricias. Tú por lo menos me quieres, pensó a punto de llorar. La discusión con Nils había significado un brutal despertar. No tenía constancia de que la distancia entre ambos fuera tan abismal. Se reprendió a sí mismo; ¿cómo había podido ser tan ingenuo, tan egoísta?

Los hijos formaban un espejo cristalino. Revelaban sin piedad cualquiera de los fallos y carencias paternas. El grado de confianza, amor y afinidad eran un recibo del éxito del progenitor. ¿Cómo se comportaban en casa, qué contaban de sí mismos sin necesidad de preguntarles? ¿Cuánto amor mostraban espontáneamente? Había ido a lo suyo, incapaz de ver lo que sucedía a su alrededor. Era Line la que se iba al campo con ellos los fines de semana, la que los llevaba a los partidos y entrenamientos, la que solía limpiar y cocinar. Había estado siempre tan absorto en su trabajo que no tuvo ojos para ver.

Le resultaba casi imposible cargar con semejante culpa.

La capa que cubre mis ojos comienza a disiparse, quizá se deba a las conversaciones periódicas. La niebla se levanta. Veo con mayor claridad; sin embargo, me siento peor. El dolor de cabeza atenaza mi frente con más fuerza.

Nos encontramos, como de costumbre, en la habitación donde descanso un momento en silencio.

Si giro la cabeza y entra la luz lateral, la roseta del artesonado se asemeja a una persona con una gran boca abierta. Quizá sean las mandíbulas de mi madre, que cuanto más tragan, más grandes se vuelven. Su descontento crece cada día, cada mes, cada año. Siempre encuentra cosas nuevas de las que quejarse, de las que horrorizarse. Problemas nuevos, nuevos obstáculos inesperados, arena nueva en el engranaje. El fin del mundo si las cosas no van como la seda. Ella es como un grueso gusano reluciente que se revuelca en su propia desgracia, en su propio martirio. Como un tumor en busca de nuevas células malignas. Una incesante búsqueda de leños nuevos con los que alimentar el fuego de sus penurias. Picotea hambrienta cualquier nimiedad que pueda sustentar sus muchas miserias. A veces siento que mi cerebro se va a desbordar.

Estoy harto de que ella ocupe tanto espacio. Como una mosca en la pared, siempre omnipresente, tanto si uno quiere como si no. Se ha transformado en una papilla espesa que ha penetrado en mi interior y ha taponado la garganta. Solo deseo vomitar de una vez toda esa mierda. Vomitarla a ella. Lograr que abandone mi cuerpo, que invadió cuando nací. Es enfermizo, lo sé.

Regreso de nuevo a mi interlocutor.

La ventana está entornada, el sol brilla y fuera hace calor.

–La última vez que nos vimos, desapareciste de repente. ¿Dime, qué pasó?

–A veces me siento tan lleno de mi llamada madre que me desborda. Entonces, tengo que vomitar o cagar, es como si yo fuera el cubo de la basura y ella, los desperdicios.

–¿Puedes describir cómo te sientes cuando eso ocurre?

–A veces no soporto pensar en ella y en esos momentos es como si algo se apoderase de mí.

–¿Qué quieres decir?

–Como si el cuerpo tomara el mando. Reacciona por sí mismo, adquiere vida propia, imposible de controlar. Protesta. Como si se rebelara contra su forma de roerme como un maldito parásito. Construye un nido ahí dentro que crece hasta causarme la muerte. Aunque no lo deseo, ella es lo primero en lo que pienso al despertarme y lo último que ocupa mi mente antes de dormir. No puedo hacer nada contra eso, lo he intentado todo sin lograrlo. Ella forma parte de mi permanente mala conciencia.

–¿Cómo se manifiesta?

–Durante toda mi vida, por ejemplo, he sentido remordimientos si me lo pasaba bien solo, sin ella.

–¿Por qué?

–Porque tan pronto como me iba a esquiar, a un concierto o a hacer algo divertido, ella aparecía con sus quejas sobre lo mucho que le hubiera gustado hacer lo mismo. «Si yo pudiera…» Incluso cuando tuve una familia propia podía sentir mala conciencia cuando nos sentábamos a comer con velas y lo pasábamos bien. Tenía que haberla invitado. No porque fuera divertido tenerla en casa. Recuerdo cuando Daniel era un recién nacido y nos mudamos a un nuevo apartamento. Mamá venía algunos domingos a visitarnos. Antes de quitarse siquiera los zapatos en el recibidor resonaba la pregunta estridente: «¿El café está preparado?». A continuación, se sentaba en el sofá y se quedaba ahí hasta que llegaba la hora de irse. El café se enfriaba en la taza mientras parloteaba sin parar. Si yo le hablaba de las dificultades de Daniel para dormir o si Katrina mencionaba su cólico, ella agitaba las manos, se volvía hacia Katrina, y de inmediato comenzaba a vanagloriarse de lo buenos que habían sido sus hijos. Con ellos nunca hubo problemas de barriga, para comer ni dormir. Sobreentendido: «Has fracasado como madre. Mis hijos funcionaban perfectamente, pero claro, yo era su madre». Por lo general, yo guardaba silencio, intentaba excusarla, pero eso solo fue peor. Le proporcionó a mamá aún más sustento para sus desmanes, las pullas crecieron hasta convertirse en auténticos hachazos. La escena solía acabar con que Katrina se ponía en pie y comenzaba a recoger la mesa y trabajar en la cocina hasta que mamá se iba. Me avergonzaba comportarme como una sabandija.

—¿Por qué lo hacías?

—No lo sé. Cuando pienso en ello no consigo entender cómo dejé que mamá tuviera tanto poder sobre mí. Hasta cuando crecí y tuve una familia de la que responsabilizarme me comporté como un niño asustado. Es como si me hiciera sentir en deuda con ella. Como si debiera devolverle algo.

—Es una forma de mantener el control. De continuar siendo el centro.

—Sí, y Dios sabe que eso es lo que ella desea. Cuando viene de visita, toda la actividad tiene que parar. Hay que hacer un alto y dedicarle plena atención. Y después del café quiere que la ayuden con cualquier cosa. «¿Tienes una guía de teléfonos?, ¿una lima?; ¿me puedes ayudar a reservar una entrada de teatro en internet?; ¿tienes una máquina de coser?, necesito arreglar estos pantalones; tengo que teñirme el pelo, ¿puedo hacerlo en vuestro cuarto de baño?; ¿puedes leer las instrucciones en voz alta y así podemos revisarlo todo, cada detalle?»

»Y es completamente inconsciente de que quizá tengamos cosas que hacer. Si le cuento que he tenido un día ajetreado en el trabajo, agita las manos con un: "Alégrate de tener un trabajo". O si en algún momento de debilidad, cuando Katrina y yo hemos reñido busco su apoyo: "Alégrate de tener mujer: de que sois dos. Piensa en mí, que os tuve que criar sola". Se ha olvidado de que era ella la que abandonaba a los hombres que conoció durante nuestra infancia.

Mi interlocutor parece cada vez más desconcertado. Como si resultara difícil creer que lo que digo sea cierto, pero lo es. Cada palabra. Ahora he subido de revoluciones. Aunque duela, resulta de lo más agradable hablar de la mierda en voz alta. Nunca antes lo había hecho.

–Lo peor de todo es que no importa lo que haga por ella, nunca está satisfecha. Si la ayudo a hacer la compra y me paso varias horas de tiendas, la llevo a casa y la ayudo a meterlo todo, además, quiere que me quede y prepare la comida. Si digo que no puedo, seguro que la desilusionaré. Si voy de visita y llevo una botella de vino para darle una sorpresa, refunfuña porque no le he llevado una caja entera. Cualquier cosa que haga es insuficiente. Pero lo más incomprensible es que cuanto más la atiendo, mayor es su decepción.

–¿Cómo es eso posible?

–Cuanto más recibe, más quiere. Las exigencias crecen al ritmo de mis contribuciones. Nunca piensa como una persona normal; por ejemplo, no aprecia que ahora me estén ayudando y pueda relajarme durante un tiempo. Eso no existe para ella. Tan pronto como se acaba un proyecto, debe tener otro en marcha.

–¿Por qué sigues ayudándola? Así solo sustentas su conducta. ¿Por qué no protestas?

–No sé. Siempre ha sido así. Y he aprendido a no cuestionar nada. Tan pronto como estoy en desacuerdo con ella o le llevo la contraria, se enfurece. No soporta que la contradigan. Entonces alza la voz, se altera, habla sin parar cada vez más alto y no deja de quejarse repitiendo el mismo argumento como si fuera un papagayo. Es tan desagradable y se vuelve tan irracional que prefiero dejarlo pasar. Aprendí pronto a hacerlo.

–¿No puedes explicarle cómo te sientes?

–Dios sabe que sueño con ello. A veces, la incapacidad de mamá para escuchar me hace fantasear con atarla a una silla, amordazarla y así obligarla a escucharme. Entonces, podría contárselo todo. Lo que sentí durante la infancia por su comportamiento. Ilustraría claramente lo que quiero decir con ejemplos concretos para que pudiera comprender. Estaría ahí sentada en la silla, atada de pies y manos con una gruesa cinta plateada tapándole la boca y obligada a oír cada palabra.

—¿Por qué crees que imaginas esas cosas?

—Quizá, en lo más profundo de mi ser, albergo la ingenua esperanza de que todo se arreglará. Que ella por fin me verá, me comprenderá y me respetará. Que acabaremos encontrándonos.

Me oigo suspirar.

—Dentro de poco, no soportaré seguir así.

—¿Qué quieres decir?

—Justo lo que digo, que no aguanto más.

—¿Y qué vas a hacer?

—Algo tendré que hacer, es lo único que sé.

—¿El qué?

Encuentro en el otro una mirada preocupada, pero prefiero no responder.

El incendio en Holmhällar confirmó los temores de Knutas. El delincuente al que estaban buscando iba tras Veronika Hammar y nadie más.

La reunión matinal del grupo operativo congregó a todo el equipo. El ambiente irradiaba energía cuando Knutas comenzó.

—A las 2.15 de la madrugada, la Policía recibió una llamada de alarma. Una casa ardía en Holmhällar. Fue un vecino quien llamó, Olof Persson, que vive en una granja a un par de kilómetros de allí. Vio el resplandor en el cielo, se acercó con el coche y descubrió la casa en llamas. Hubo una persona afectada; se trata nada menos que de Veronika Hammar. La víctima se encuentra en el hospital debido a una leve inhalación de humo. La razón de que no encontráramos la casa se debe a que no es suya, pero la tiene a su disposición, al parecer, desde hace más de veinte años.

—¿La han interrogado? —preguntó Smittenberg.

—Sí, brevemente. Dice que el fuego la despertó. En ese momento, la casa ya estaba en llamas. Solo pensó en escapar, y lo consiguió sin quemarse. Ha inhalado gases venenosos, aunque lo más probable es que pueda abandonar el hospital hoy mismo.

—¿Cómo se encuentra? —se interesó Wittberg.

—Conmocionada y destrozada. No pudo sacar ninguna de sus pertenencias y seguramente perdió muchos objetos de gran valor sentimental. Además, tiene miedo, asegura que había alguien en el jardín la misma noche del incendio.

—¿Una persona que no se dio a conocer?

—En efecto. Los inspectores de la Científica están ahora en la casa, aunque tendremos que esperar antes de recibir los resultados de un examen minucioso. Ya nos han llamado para decirnos que han encontrado un bidón y trapos en el jardín, con lo que podemos concluir que el fuego fue provocado.

—¿Hay testigos? —inquirió Smittenberg.

—No, no ha llamado nadie, aparte del granjero que dio la alarma. Y la casa de Veronika Hammar, por lo que sabemos hasta el momento, era la única vivienda habitada de la zona.

—Me acercaré hasta allí después de la reunión —dijo Erik Sohlman—. El jardín es bastante grande, puede que quede algún rastro, si es que no lo han borrado los bomberos mientras apagaban el incendio.

Se hizo el silencio en la habitación.

—De acuerdo —asintió Karin, y lanzó una mirada a los compañeros congregados alrededor de la mesa—. ¿Nos concentramos en la teoría de Veronika Hammar como única víctima posible? ¿Damos por sentado que Viktor Algård murió por equivocación?

—¿Tenemos que abandonar todo lo relacionado con Viktor Algård? —añadió Wittberg—. ¿La pelea en el club y el asesinato en el palacio de congresos?

—Sí, al menos de momento —opinó Knutas—. Nos concentraremos en buscar a la persona que cree tener razones para hacer daño a Veronika Hammar.

—Y respecto a Elisabeth Algård, la esposa —intervino Wittberg—, ¿qué hacemos con ella?

—Sigue siendo interesante —sostuvo Karin—. Puede ser ella la que intentara matarla en ambas ocasiones.

—Sí, claro —dijo Knutas—. Tendremos que interrogarla de nuevo. En cuanto acabemos la reunión.

Se volvió hacia Karin.

—¿Tienes algún dato nuevo sobre Veronika Hammar?

—No, ya conoces la mayor parte de los detalles —expuso Karin, y hojeó sus papeles—. Lleva divorciada muchos años. Su anterior marido murió en un accidente de tráfico hace veinticinco años. Cuando eso sucedió, ya llevaban un tiempo divorciados. Tiene cuatro hijos adultos, dos de ellos viven en Gotland y los

otros dos, en Estocolmo. Mantiene cierto trato con una vecina, tiene dos hermanas, una en Gotland y otra en Estocolmo, y
de vez en cuando queda con algunas antiguas amigas del trabajo.

—De acuerdo, hay que interrogar a sus familiares y conocidos.
Vecinos, amigos artistas. Seguro que pertenecerá a algún club o
asociación artística. También a los propietarios de las casas de verano de Holmhällar, quizá la solución se encuentre allí. Estoy
pensando en Sten Bergström; vive justo al lado, tendremos que
hablar de nuevo con él. Y por lo que respecta a los hijos, hay
que interrogarlos enseguida.

Johan se despertó cuando alguien lo sacudía. Parpadeó hacia la luz; al principio no sabía dónde se encontraba. Entonces recordó la noche en el Solo Club.

Después regresó a la redacción y se desplomó sobre el sofá. Ante él apareció un rostro cubierto de hollín. Tardó un rato en reconocerlo.

—¡Despierta! No he parado de llamar. El mundo podría acabarse y tú seguirías durmiendo como un tronco.

—Tranquila —resopló Johan.

Se sentó, bostezó, se restregó los ojos. Tenía mal sabor de boca. Lanzó una mirada malhumorada a Pia.

—¡Vaya pinta!

—He estado trabajando mientras tú zanganeabas. ¿Saliste anoche? ¿Estuviste de fiesta?

—Si al menos me hubiera divertido... Estuve en el Solo Club, ocupándome de jovencitas borrachas. ¿Qué ha pasado?

El rostro de Pia estaba tan negro como su rímel. Tenía el pelo más despeinado que de costumbre y su ropa estaba arrugada y llena de manchas negras. Las líneas del cuello hacían juego con el contorno de los ojos. Parecía una india con pintura de guerra.

—Se incendió una casa de verano en Holmhällar.

—¿Y?

—El fuego fue provocado, y una mujer resultó intoxicada. Pensé que podríamos utilizarlo para una noticia breve. Estaba despierta cuando dieron la alarma y me encontraba en Sudret, así que conseguí unas imágenes de la casa en llamas y entrevisté al responsable del cuerpo de bomberos. Luego me quedé esperando a los de la Científica y hablé con uno de ellos, que me confirmó que habían encontrado un bidón y unos trapos en el jardín. Sin embargo, me perdí la ambulancia que fue a recoger a la mujer que se había intoxicado.

—¿Sabes si estaba grave?

—Los bomberos creían que había sufrido una leve inhalación de humo. Llamé al hospital, pero no me dijeron nada, como de costumbre. Y resulta que fue una suerte que condujera hasta allí, ¿sabes?

—¿Por qué?

—La casa no es de una persona cualquiera.

—¿Qué quieres decir?

—Veronika Hammar vivía allí. Ya sabes, la de los cuadros de ovejas. La pintora de cuadros con sempiternos motivos de ovejas que venden en Stora torget: ovejas en el redil, ovejas a contraluz, ovejas en la playa…

—¡Ah, esa! Sí, es muy conocida.

—Ella fue la que resultó intoxicada. ¿Y sabes con quién mantenía una relación?

—No.

—Con Viktor Algård. Ella era su amante secreta.

Johan posó despacio la taza de café sobre la mesa.

—¿Estás segura?

—*Yes*.

—¿Cómo de segura?

—Totalmente convencida. Tengo una buena fuente.

—Necesitamos dos, y que sean independientes.

—No lo creo necesario en este caso.

Pia tenía una mirada maliciosa.

—¿Ah, no?

—Mi fuente es muy cercana. La información proviene de Andreas, el pastor.

—¿Qué?

—Se apellida Hammar.

Johan miró fijamente a su colega.

—Así que estás liada con el hijo de Veronika Hammar.

—Tu capacidad de raciocinio es asombrosa.

Johan encendió el ordenador y leyó los telegramas de TT. Los periódicos habían publicado fotografías en primera página. En ningún lugar mencionaban que la casa fuera de Veronika Hammar o que hubiera una conexión entre el suceso y la muerte de Viktor Algård.

—Pero si la casa era de Veronika Hammar y ella era su amante secreta, el fuego pudo ser un intento de asesinato —apuntó Johan—. La persona que asesinó a Algård ahora va tras Veronika Hammar.

—Muy bien, Sherlock. Has dado en el clavo.

Pia se volvió hacia el ordenador para descargar las imágenes.

Veronika Hammar ocupaba una habitación individual al fondo del pasillo. La enfermera responsable de la planta le advirtió que estaba agotada y lo más probable sería que tuviera que quedarse un día más en observación. Knutas llamó con cuidado a la puerta antes de entrar. Se sobresaltó al ver a la mujer tendida en la cama. Veronika Hammar parecía haber envejecido diez años desde la última vez que la vio. Ahora estaba allí tumbada, sin maquillaje, despeinada, con el camisón blanco del hospital que sobresalía por encima de la colcha amarilla. Era como si hubiera encogido. Parecía un pajarillo herido, inerte. Se le marcaban las arrugas del cuello y tenía los labios secos. Cuando entró, ella permaneció inmóvil, con los ojos cerrados.

—Hola —saludó en voz baja.

No hubo reacción alguna. Le acarició levemente la mano. Ella se estremeció y abrió los ojos.

—Disculpe si molesto. Soy Anders Knutas, el comisario jefe. Nos hemos visto en una ocasión.

—Sé quién es usted. Habré inhalado humo, pero no he perdido la memoria.

Tenía la voz afilada y ronca.

Knutas acercó una silla y se sentó.

—¿Tiene fuerzas para relatar lo sucedido?

La delicada mujer suspiró, y luego se incorporó en la cama. Gesticuló con impaciencia hacia él para que la ayudara a recolocar las almohadas a modo de respaldo. A continuación, llamó a la enfermera y pidió un vaso de agua.

—Me despertó el fuego; fue terrible, sencillamente horrible. La habitación estaba caliente y vi cómo entraba humo por la rendija de la puerta. Rompí la ventana y salí. Después solo pude permanecer sentada viendo cómo se quemaba la casa. Todas mis cosas, todos mis recuerdos…

Mientras hablaba, su mirada permaneció fija en el techo.

Poco a poco, las lágrimas comenzaron a rodar por sus mejillas. Knutas aguardó un momento. La enfermera apareció con el vaso de agua. Knutas se encogió en la silla. Se trataba de una situación desagradable, pero como ella no mostraba indicios de dejar de llorar, siguió preguntando.

—¿Vio u oyó algo sospechoso? ¿Algún desconocido por los alrededores?

—Llegué a la casa un día antes. Me sentía destrozada después de todo lo ocurrido con Viktor, el interrogatorio, las miradas y los cuchicheos de los vecinos; bueno, de todo. Me fui para poder estar en paz, no se lo dije a nadie. Y como nunca suelo pasar por allí antes de Pentecostés, pues aborrezco la soledad, pensé que nadie sabría que estaba en la casa. Sin embargo, desde el primer momento tuve la sensación de que alguien rondaba por los alrededores. Tanto mientras paseaba como cuando estuve dentro de casa. Y por la noche, antes de que se incendiara, presentí que había alguien en el jardín.

—¿Vio algo?

—No, pero percibí una sombra al otro lado de la ventana. Tuve esa sensación y sé que puedo confiar en mi intuición. Había algo, eso seguro.

—¿Cómo interpreta lo sucedido?

—Sin lugar a dudas, algún loco me persigue.

—¿Por qué está tan segura?

Por fin la mujer volvió su rostro receloso.

—Es evidente. Debería serlo incluso para la Policía —respondió, sarcástica—. Alguien le prendió fuego a la casa mientras yo me encontraba dentro. Eso es un delito de incendio, alguien quería matarme, quemarme viva. Pensé que tenía que ser Elisabeth, la mujer de Viktor, quien estaba detrás de todo. Primero mata a su marido y luego a mí.

—Eso me lleva a la siguiente pregunta. Durante la velada en el palacio de congresos, un admirador desconocido la invitó a una copa. ¿Lo recuerda?

Veronika Hammar se quedó algo perpleja.

—Sí —respondió, insegura.

—Era un daiquiri de fresa, sin alcohol.

—¿Ah, sí?

—¿Probó la bebida?

La habitación permaneció en silencio, mientras Knutas observaba con cierta tensión a la mujer. Ella se mordió el labio inferior y alzó la vista al techo.

—No recuerdo si la probé. Me entregaron la bebida, pero tenía que ir al baño y le di la copa a Viktor. No creo que bebiera.

—Y después se separaron y no volvieron a verse, ¿no es así?

—No. Yo… ¿Qué quiere decir…?

—Que lo más probable es que la bebida estuviera envenenada.

—Así que iba destinada a mí…

Veronika Hammar se llevó las manos al pecho. Parecía sobresaltada y le temblaba la voz cuando continuó:

—Eso significa que el asesino siempre ha ido a por mí. Viktor murió por error. ¡Es terrible!

—¿Por qué no nos contó esto desde el principio, durante el primer interrogatorio?

—No pensé en ello. Se me olvidó.

—Dijo que la última vez que vio a Viktor fue cuando él cogió su copa y usted fue al cuarto de baño.

—Sí.

—¿No volvió a verlo en toda la noche?

Veronika negó con la cabeza. Knutas clavó la vista en ella.

—¿Me puede explicar por qué el lugar del crimen está repleto de sus huellas dactilares?

La reacción fue tan repentina como inesperada.

Veronika Hammar lo miró fijamente durante unos segundos, y a continuación gritó a los cuatro vientos:

–¡No lo soporto más, pare de una vez! ¡Soy una persona sensible, no aguanto cualquier cosa!

Rompió en llanto, aunque más que llorar gritaba. El inesperado estallido de la mujer asustó a Knutas.

–Bueno, tranquilícese –instó este, y se sentó junto a ella en la cama–. No la he acusado de nada. Tiene que comprendernos.

Le acarició torpemente la espalda.

–¡Primero, alguien asesina a mi gran amor, luego queman la casa de verano, y ahora usted me toma por sospechosa! Una persona puede aguantar hasta cierto punto. ¡Yo también tengo un límite!

–Por favor –continuó Knutas, con el mayor tacto posible–. Yo no creo nada, pero podría contarme qué hizo en el salón. ¿Lo encontró allí?

Veronika Hammar sollozaba y tartamudeaba. La puerta se abrió y una enfermera asomó la cabeza.

–¿Cómo va todo por aquí?

–Bien, no se preocupe.

Knutas la ahuyentó con la mano. La enfermera miró interrogativa a Veronika Hammar, que asintió. Eso la satisfizo y cerró la puerta tras de sí.

Knutas llenó un vaso con agua del lavabo de la habitación y arrancó un trozo de papel higiénico.

–Venga –la consoló, como si se tratara de una niña pequeña–. Séquese las lágrimas y arreglemos esto de una vez por todas.

–Sí –sollozó la mujer–. No he hecho nada, me he sentido tan agobiada…

–Comprendo.

Le acercó el vaso de agua y ella bebió con avidez.

–Cuénteme qué pasó.

–Al final de la noche, durante la inauguración, primero fui a recoger mi abrigo al guardarropa, y luego estuve buscando a Viktor. Me perdí por los pasillos y al fin llegué a la sala del piso de abajo, donde teníamos que encontrarnos. Entré y vi que había una luz procedente del ascensor, al fondo. La puerta estaba entreabierta.

Se llevó las manos a la cara y las palabras llegaron entrecortadas, a trompicones.

—Viktor estaba allí tumbado, inmóvil. Me acerqué, pensé que quizá estaba vivo. No podía verle el rostro. Cuando me acerqué, comprendí que estaba muerto.

—¿Qué hizo entonces?

—Me embargó el pánico, abrí la primera puerta que vi y hui a casa. Estaba muerta de miedo, creía que el asesino podría seguir allí y que me atacaría.

—¿Y no se le ocurrió llamar a la Policía?

—Estaba ebria, cansada y aturdida. Nuestra relación era secreta y no veía por qué había de sacarla a la luz. El daño ya estaba hecho. Mi Viktor había muerto.

—Si todo esto es cierto, nos encontramos ante otro escenario.

—¿A qué se refiere?

—El incendio, su explicación sobre las huellas dactilares y los demás detalles. Las sospechas que había contra usted se debilitan seriamente.

—¿Qué quiere decir? ¿Que ya no soy sospechosa?

—Sí —respondió Knutas, un tanto inseguro, ya que la mujer de pronto se encolerizó—. Prácticamente queda descartada.

—¿Así que realmente sospecharon de mí? De haber matado a mi gran amor, al que por fin encontré después de pasar una vida con hombres miserables. ¡Eso es lo que sois casi todos! Me pone los pelos de punta que la Policía llegue a la infantil conclusión de que yo pueda ser una fría y calculadora asesina que mata al hombre de sus sueños. Es terrible.

Veronika Hammar seguía sentada en la cama y alzaba la voz. De repente no resultaba tan delicada.

—¿Cómo se atreve a venir aquí a acusarme? Estoy aquí postrada por inhalación de humo, han intentado matarme, podría estar muerta y usted tiene el cuajo de entrar en mi habitación y acusarme de ser una asesina. ¡Fuera de aquí! ¡Lárguese! ¡Fuera de aquí, y no se atreva a volver! ¡Maldito cerdo, vete al infierno!

Knutas se quedó estupefacto, tanto del repentino y potente estallido de ira de la delicada mujer como de sus inesperados recursos verbales.

A los pocos segundos, dos enfermeras aparecieron en la habitación e intentaron calmar a la paciente, que seguía gritando, llorando y agitando los brazos.

Miraron airadas a Knutas pero no dijeron nada.

Él aprovechó el tumulto para abandonar el cuarto, aliviado de alejarse de allí.

El viernes interrogaron a Elisabeth Algård, pero no aportó novedades. Tenía una coartada para la noche del incendio: se encontraba en Estocolmo con sus hijos. Habían ido al cine y a un restaurante, y luego se quedó a dormir en casa de su hija. Knutas nunca creyó que estuviera involucrada, había algo en ella que le hacía dudar. Y su intuición solía funcionar. Por lo menos, en lo referente al trabajo.

No había testigos del incendio pero los de la Científica habían descubierto varios focos en diferentes partes de la casa y encontraron también un bidón de gasolina y trapos. Un testigo que había salido a pasear a su perro vio una moto estacionada en el aparcamiento de la pensión Holmhällars, a un tiro de piedra de la casa. Estaba cerrada en esa época del año y el aparcamiento solía encontrarse desierto. Sin embargo, el testigo no recordaba el modelo, ni tampoco el número de la matrícula.

Veronika Hammar abandonó el hospital y fue escoltada hasta su apartamento en Tranhusgatan. La Policía instaló una alarma y una cerradura más en la puerta. Permaneció vigilada las veinticuatro horas durante los días siguientes. Un coche camuflado quedó estacionado junto a la vivienda. Albergaban la esperanza de que el asesino volviera a actuar durante el fin de semana cuando comprobase que había vuelto a fracasar en su intento de asesinarla.

Justo después de la reunión matinal, Karin y Knutas se dirigieron a interrogar a Andreas, el hijo de Veronika Hammar.

Andreas Hammar era uno de los mayores pastores de ovejas del sur de Gotland. Su granja se hallaba a mitad de camino entre Havdhem y Eke. No se trataba de la típica casa de Gotland, más bien parecía una casa de piedra provenzal. El revoque amarillo estaba en parte desconchado y el tejado necesitaba una reparación. La entrada consistía en un bonito porche con imponentes columnas y un jardín lleno de flores. Dos bider collies tumbados en el jardín observaban apáticos a las gallinas que picoteaban a su alrededor.

Habían avisado de su llegada. Andreas Hammar les dijo que ese día estaba muy ocupado pesando a las ovejas, así que tendrían que verlo en la granja y hablar con él mientras trabajaba. No tenía tiempo para más.

Cuando aparcaron en el jardín, los perros comenzaron a ladrar y un hombre corpulento apareció detrás de la casa. Vestía un mono de trabajo azul y unas buenas botas; los observó bajo su gorra y saludó malhumorado.

—Síganme con el coche.

Condujeron por un sendero de tractores a través del campo y se detuvieron frente a una verja. Centenares de ovejas pastaban y balaban por toda la dehesa. Knutas observó fascinado cómo en pocos minutos se reunía el enorme rebaño y corría hacia ellos formando una tropa. Más disciplinadas que un ejército, pensó. Había un camión aparcado junto a ellos. Se habían acotado dos zonas pequeñas en la dehesa. Los dos perros ayudaban a juntar las ovejas en el primer redil. Luego Andreas las arreaba de una en una a través de una senda cubierta de tela metálica que conducía al siguiente aprisco, que era tan estrecho que los corderos cubiertos de lana apenas cabían en él. Allí se hallaba la plataforma de la báscula. Después había que procurar que el animal se quedara quieto los segundos que se tardaba en pesarlo. Karin ayudó a dirigir a las ovejas hacia el recorrido y a mantenerlas quietas mientras Andreas anotaba su peso en un cuaderno. A continuación, las arreaba de vuelta a la dehesa. Algunas se dejaban hacer sin protestar, mientras que otras se sentían aterradas y hacían todo lo posible por escapar. A veces el asunto se volvía violento de verdad y parecía que fueran a romperse las delgadas patas en sus vanos intentos por huir. Tras unos minutos de faena, Karin se encontraba bañada en sudor.

—Enloquecen en cuanto están solas. Son unos animales muy sensibles, nerviosos, pero más inteligentes de lo que piensa la gente —explicó Andreas.

Knutas empezaba a impacientarse, de manera que comenzó el interrogatorio.

—¿Por qué cuando buscábamos a su madre usted no dijo nada sobre la casa de verano?

—No se me ocurrió. No suele ir por allí antes de Pentecostés, puesto que le tiene pánico a la oscuridad. Detesta estar en la casa cuando no hay gente.

Knutas observó con desconfianza al pastor, que siguió trabajando con indiferencia. Por el momento se contentó con la respuesta y continuó:

—¿Qué clase de relación tiene con su madre?

—Los padres son como son.

—¿Qué quiere decir?

—Uno tiene la relación que tiene. No vale la pena pensar mucho en ello.

—¿Y sus hermanos?

—No suelo verlos y ninguno de ellos tiene mucho contacto con ella. Ni Mats ni Mikaela suelen visitarla y Simon está deprimido y ha cortado el contacto con todo el mundo. Con ella también, si es que lo ha conseguido. Mats se crio en una familia de adopción y no ha tenido relación con mamá. Mi hermana Mikaela rompió por completo con ella el año pasado.

—Sí, lo sabemos. Pero ¿por qué?

—Bueno, no la aguantó más. Mi madre es… cómo lo diría… muy demandante.

—¿En qué sentido?

—No tiene una vida propia y quiere que sus hijos llenen ese vacío. Llama constantemente y exige que la ayuden con distintas cosas. Es como si buscara una continua reafirmación. Pero el problema es que, hagamos lo que hagamos, para ella nunca es suficiente. Siempre podemos hacer más. También se mete en nuestras vidas y opina sobre todo, desde el nombre que tenemos que ponerles a nuestros hijos hasta las cortinas que van mejor en la cocina. Creo que Mikaela no pudo soportarlo, sencillamente. Mi madre ocupa mucho espacio y absorbe demasiada energía. Y mi hermana tiene que ocuparse de su propia familia, de sus hijos.

A Knutas le sorprendió lo bien que se expresaba el pastor. Se sintió avergonzado de sus prejuicios.

—¿Y Simon?

—Bueno, esa es otra historia. Se separó hace un tiempo de Katrina, su pareja, y está muy deprimido. De momento vive en el piso de un amigo, en Estocolmo. No creo que ahora mismo tenga fuerzas para nada.

—¿Es esa la razón de que no responda al teléfono?

—Sí, tiene contratado un identificador de llamadas y solo responde si reconoce el número y se siente con fuerzas para hablar.

—¿Sabe dónde se encuentra ahora? Por lo visto, no está en el apartamento.

—Ni idea. A veces desaparece. Nadie sabe dónde se mete.

—Y usted, ¿cómo maneja a su madre, si es tan pesada?

—¿Quién ha dicho que la maneje? No creo que nadie pueda hacerlo.

Meneó la cabeza mientras se agachaba para comprobar la chapa de identificación que figuraba en la oreja de la siguiente oveja que tenía que pesar.

—Todo es una constante miseria. Cuando se soluciona un problema, surge el siguiente.

—¿Se ven muy a menudo?

—De vez en cuando, soy yo quien suele pasar a tomar un café. Charlamos una hora y luego me marcho. Dejo que su mierda me resbale como el agua sobre las ocas. Simon y Mikaela lo han tenido más difícil. Lo absorbían todo como esponjas. Se apenaban y se ofendían. Han vivido en simbiosis con ella; si nuestra madre se siente mal, ellos se sienten mal; si está contenta, ellos están contentos. A mí no me ha pasado eso.

—¿Cuál cree que es la razón?

—Quizá se deba a que soy el mayor y llegué a conocer a mi padre antes de la separación y de que desapareciera. Llegué a formarme mi propia imagen de él, de mi madre, y de su relación. Siempre he sabido que ella no era tan imparcial como quería hacer creer.

—¿A qué se refiere?

—No se puede explicar. Mire, no quiero hablar de eso.

—¿Sabe si alguien ha amenazado a su madre o si hay alguien que desee hacerle mal?

—¿Amenazarla? No sé nada de eso. Si así fuera, me lo habría contado. Nos hace partícipes de todos sus asuntos, si se le ha quemado la comida, si no encuentra sus zapatillas…

—¿Alguien que desee hacerle mal?

Andreas le dirigió a Knutas una mirada impenetrable.

—Seguro que existe el deseo, pero además hay que poder hacerlo —respondió, lacónico.

Luego, reanudó su trabajo.

La siguiente oveja esperaba para que la pesaran.

La noche de Valpurgis* fue la más bonita desde hacía años. Siempre solía hacer frío y viento, pero ese día brilló el sol e hizo casi tanto calor como en verano.

Johan se pasó trabajando todo el fin de semana elaborando reportajes para el telediario regional y el nacional, y esa fue la razón de que pudiera librar en Valpurgis. Tras la muerte de Alexander Almlöv llegaron unos días ajetreados, y durante el fin de semana la conmoción en torno a la agresión eclipsó el asesinato de Viktor Algård. Se celebraron grandes manifestaciones en Visby contra la violencia y la falta de inversiones para la juventud: cierres de centros de recreo juvenil, falta de asistentes sociales, recortes en guarderías y centros de actividades extraescolares, educación y deportes. De nuevo se criticó la inversión realizada en el palacio de congresos. ¿Cómo se podían dedicar cantidades millonarias a tal construcción cuando los jóvenes de la isla no tenían donde ir durante su tiempo libre?

Los reportajes que realizaron Johan y Pia acabaron en las retransmisiones nacionales de SVT. La serie de reportajes que habían planeado tuvo que realizarse a toda prisa, pero obtuvieron en las noticias mucho más espacio de lo que podían haber soñado. Johan constató con satisfacción que la violencia juvenil aparecía en todas las páginas de debate nacionales y los telediarios hablaban de cómo detenerla. Pero todo tenía un precio. En esta ocasión se trataba de la vida de un chico de dieciséis años.

---

* Festividad celebrada la noche del 30 de abril al 1 de mayo en muchas regiones de Europa Central y Norte. Se encienden grandes fuegos. *(N. del T.)*

Apenas le dio tiempo a echar de menos a Emma y Elin, pero ahora que iba camino a Fårö, le acuciaba la prisa por verlas. Se encontraba a bordo del transbordador, con el viento marino de cara; dejó de pensar en el trabajo y se relajó. Ahora se dedicaría a lo más importante de todo, la familia.

Los padres de Emma vivían en el extremo norte, junto a la inmensa playa de arena de Norsta Auren. La casa de piedra caliza blanca se encontraba apartada y solo un pequeño muro separaba el jardín de la playa. A un lado se encontraba el cabo al que acudían los ornitólogos para estudiar la infinidad de aves marinas que poblaban el istmo. Al otro se extendían varios kilómetros de playas de arena blanca y fina, cuya anchura, que en algunos tramos alcanzaba los cien metros, recordaba los paisajes del Caribe o del Pacífico durante los días soleados de julio. Formaban un suave arco que llegaba hasta el faro, la punta septentrional de Fårö.

Cuando giró por el sendero lleno de baches que conducía a la casa aparecieron Emma y Elin que se dirigían hacia él, cogidas de la mano. Detuvo el coche y corrió a su encuentro. El rostro radiante de Elin y los cálidos ojos de Emma. Les dio un fuerte abrazo que duró un buen rato.

Después de comer con los padres de Emma salieron en bicicleta hasta Ekeviken, una bonita playa con casas de verano, ubicada unos kilómetros al sur. Ya tenían todo preparado para la fiesta de Valpurgis; la hoguera se encendería a las ocho. Las personas que vivían en los alrededores habían recogido leña para la fogata, que se alzaba imponente en medio de la playa. Toda la isla se involucraba en la celebración; en los pequeños quioscos se vendían salchichas, café y especialidades isleñas como cordero al enebro, *crêpes* de azafrán, miel y confitura de moras. También se podía encontrar piel de cordero, cerámica y artesanía. Los niños correteaban lanzando palos a la hoguera, que en breve se encendería.

Un coro de bachilleres ataviados con sus gorras blancas entonó «El invierno hace estragos en nuestras montañas».

Aquello no significaba que hubiera muchas en Gotland; el punto más elevado era Lojsta hed y se alzaba a solo ochenta y dos metros sobre el nivel del mar.

Johan le apretó la mano a Emma. Necesitaba ese paseo.

La música declinó y un antiguo ministro que veraneaba en Fårö subió al escenario improvisado. Era un hombre de unos cuarenta años, alto, rubio, de complexión atlética. Poseía todos los atributos que un hombre podía desear. Era juvenil, encantador y, además, según las mujeres −Emma incluida−, increíblemente atractivo. El centenar de personas allí reunidas guardó silencio y dirigió la mirada al escenario. Incluso los jóvenes y los alborotadores perros se detuvieron. Había algo mágico alrededor de ese hombre, que con su mechón rubio y su jersey de punto, parecía el símbolo del hombre ideal: sano, deportista y protector. Recién salido de un catálogo de Dressman, pensó Johan cáustico.

Como era de esperar, su discurso cálido y directo fue un éxito. Johan constató divertido que Emma estaba completamente prendada del orador cuando se sumó a la lluvia de aplausos.

El antiguo ministro finalizó lanzando el primer palo encendido a la hoguera y el coro retomó su canción de primavera. Todos se unieron a él, creando una atmósfera mágica. El fuego se alzó hacia el firmamento; ya había oscurecido, y las llamas titilaban en el agua serena. La canción se esparció por el mar y a Johan le volvió a embargar la alegría de tener una familia. No había asistido a una celebración de Valpurgis desde que era pequeño. Le pasó el brazo por el hombro a Emma y la besó en la cabeza.

Su cabello olía a recién lavado y a humo.

Mediodía. La lluvia azota las ventanas. Un camión de la basura me acaba de despertar al dar marcha atrás con su persistente pitido. Pretendía entrar en el feo callejón al que da la ventana de mi dormitorio.

El encuentro con la imagen reflejada en el cuarto de baño es implacable. La mirada vacía, sin contenido. Deseo evitarla. Los ojos son dos piedras negras, sin agudeza ni vida. Los labios secos, cortados por la falta de habla o contacto con otros. Las medicinas resecan mi cuerpo por dentro, la piel se vuelve cada día más áspera; tengo las manos agrietadas. Cuando el cuerpo se seca, el cerebro encoge. Cada vez me cuesta más mantener la lucidez, incomprensibles patrones se entremezclan en mi mente, imposibles de analizar. La mayoría de las veces los dejo ahí, embrollados, como un ovillo enmarañado e impenetrable.

Estoy sentado en la cocina, observo el camión de la basura y la actividad alrededor del coloso gruñón que obstruye el callejón. La ventana de la cocina también da a ese lado. A veces necesito liberarme de la vista que encuentro desde las demás ventanas del apartamento.

Dos hombres vestidos con monos de trabajo salen por la puerta trasera del restaurante. Lanzan grandes bolsas negras a las fauces del camión de la basura. Imagino que uno pudiera hacer lo mismo con su propia mierda; simplemente tirarla en algún lugar y volver a empezar. La mierda que uno no ha pedido, que le han endilgado, sin poder evitarlo ni escapar.

Al otro lado se ven personas tras las ventanas. Ratas de oficina detrás de sus mesas, con la vista clavada en las pantallas de sus ordenadores. De vez en cuando cogen el teléfono, se reclinan y miran apáticos por la ventana. Beben su eterno café, se meten el dedo en la nariz, ignorantes de ser observados. Un hombre suele sentarse con la mano en la entrepierna, metida en sus pulcros pantalones, mientras habla por teléfono. Luego se la lleva a la nariz. Los seres humanos son repugnantes.

¿Cómo viven esas personas en la oficina? ¿Quién recibe amor y quién no? ¿Alguno de ellos es feliz? ¿Se preocupan los unos por los otros? Lo dudo. Las personas se encuentran, comen y se reúnen con distintos objetivos, pero ¿cuántas desean relacionarse de verdad?

Como mamá y mis hermanos. Fiestas de cumpleaños, Navidad, las flores de rigor, comentarios, cumplidos. Antes era divertido, en la actualidad veo las cosas con otra perspectiva. ¿Me quieren mis hermanos? Cuando era joven no lo dudaba. Ahora comprendo que la realidad es otra. Un abismo se abre entre nosotros. Nadie nos ha animado a ayudarnos, a mantenernos unidos. Al contrario, mamá nos ha separado, nos ha convertido en tres islas incomunicadas. Seres desarraigados, cada vez más dependientes de su progenitora.

Por supuesto que eso era lo que ella quería.

No sé cuántas veces me habrá comentado lo fantástica que es mi hermana y lo mucho que la quiere. Más que a nada en el mundo. «Es la niña de mis ojos», me dijo y me miró fijamente. ¿Qué soy yo entonces? ¿Qué espera que le conteste a esa afirmación? ¿Qué quiere que diga, sienta, piense?

Aparte de todo esto, mamá no para de quejarse. «No comprendo en absoluto cómo se atreve a decirme algo así, a mí, que soy su madre. ¿Tú lo entiendes? Cuando fui a comer a su casa, le pedí unos pepinillos en vinagre y ella simplemente me respondió: "Están en la nevera". ¿Te lo puedes creer? ¡Yo misma tuve que levantarme y rebuscar en la nevera! Yo nunca habría tratado así a mi madre. ¿Y sabes lo que hizo tu hermana cuando le pedí la alfombra que le había dado porque ahora quedaría muy bien en el salón recién pintado? Se enfadó y me contestó que se la había regalado. Dios mío, con todo lo que he tenido que aguantar, y así es como me lo agradecen.»

Un día tengo que oír lo encantadores que son mis hermanos, al siguiente se espera que la consuele porque han sido malvados y, sobre todo, desagradecidos. La misma canción, un año tras otro. No tiene fin.

Por si fuera poco, nos vemos obligados a soportar sus continuos recordatorios sobre todo lo que ha hecho por nosotros. Tenemos que estarle eternamente agradecidos por todos sus sacrificios.

Mamá nos ha dejado bien claro que podría haber sido una estrella si no fuera por nosotros. Cantó en la radio. Si no hubiera tenido que sacrificar su carrera por sus hijos, habría sido una Birgitta Andersson o una Lill Lindfors. Ella, que era tan divertida y talentosa de joven. Una auténtica actriz de teatro. Y además, sabía cantar. Era sencillamente fantástica, ninguna de sus hermanas se le podía comparar. Era especial. Pero nadie vio su grandeza, nadie descubrió su brillo de estrella. No la alentaron en casa. Y a nosotros también nos dio pena. Era horrible que nadie comprendiera su faceta de artista. Menudo destino, tener que parir y verse obligada a quedarse en una isla desierta del mar Báltico, lejos del *glamour* y las posibilidades de la capital. Si nos había ido razonablemente bien en la vida, si teníamos un trabajo y no nos drogábamos, era todo gracias a ella. Qué diferente habría sido si no se hubiera ofrecido como un cordero en el altar de los sacrificios y no hubiese desaprovechado su talento único por tres mocosos.

A pesar de su egocentrismo, durante muchos años sentí admiración por ella. Detesto esa ambivalencia, algo que aún hoy en día no he sabido superar.

La veo frente a mí, mi preciosa mamá. Me abrazaba, me besaba, me quería. Y al segundo siguiente, me aplastaba. Un comentario, una mirada, una mueca de disgusto. Ella tenía sueños, me animaba a viajar, a experimentar cosas, a disfrutar de la vida. Estaba enferma pero me ayudaba con los deberes. Me acariciaba la cabeza. Preparaba chocolate. ¿Qué fue de todo eso?

Bromeábamos mientras limpiábamos la casa y mamá se partía de risa cuando yo hacía el payaso con la aspiradora. Me gustaba hacer bromas para ella, nada me satisfacía tanto como hacerla reír.

Solía bailar en el salón al ritmo del «Pata, pata» de Miriam Makeba. Daba vueltas y giraba, cerraba los ojos y se recogía la falda. Le gustaban Mikis Theodorakis, Lill Lindfors y Gösta Linderholm. Cantaba en voz alta mientras limpiaba. Tan bonita y elegante, con la espesa melena rubia recogida en un pañuelo, las cejas oscuras, los labios rosados.

Nunca le llegaba el dinero, pero le gustaba poner la mesa con gusto y disfrutaba dándole un aire acogedor, con velas encendidas. Preparaba una *capricciosa,* horneaba bollos y reservaba viajes a las montañas que en realidad no nos podíamos permitir. Nos decía que quería que aprendiéramos a esquiar.

Los sábados acudíamos a la ciudad, íbamos de tiendas y a la pastelería. Mamá se compraba ropa atrevida en la *boutique.* Los niños bebíamos coca-cola con una pajita y comíamos bolas de chocolate. Ella reía, siempre cantaba en el coche, preparaba unos maravillosos sándwiches de jamón cuando íbamos a la playa. Me encantaba apoyar la oreja sobre su vientre plano, que siempre gorgoteaba de forma extraña. Y olía tan bien… La piel bajo su barbilla estaba siempre suave, y sus abrazos eran cálidos.

Pero su llanto era desgarrador y me partía el alma.

Cuando era pequeño pensaba que era perfecta, una persona impecable. Nunca me avergoncé de ella. Y todos pensaban que parecía muy joven. A mis ojos, era la mejor del mundo.

No sé qué pasó después.

Cuando mamá llama me embargan la pena, la ternura y la repugnancia. Al oír que es ella tengo que contenerme para no tirar el auricular, me esfuerzo por mantener la conversación. Respondo con monosílabos. La dejo descargar su lodo habitual. Mantengo el teléfono separado unos centímetros del oído, intento pensar en otra cosa. Pero mi paciencia se agota. Las conversaciones tienden a ser cada vez más cortas, ya no soporto oír su voz.

Pronto no podré seguir conteniéndome.

El conocimiento de esta realidad ineludible atruena en mi mente como una tempestad creciente. Me aterra pensar en lo que pueda ocurrir cuando estalle la tormenta. Cuando los rayos crucen el cielo y la lluvia nos alcance. Entonces no habrá vuelta atrás. En ese momento se acabará la esperanza.

Y solo quedará una cosa por hacer para ser libre.

Knutas celebró Valpurgis con su familia en la casa de Lickershamn. Pasaron la velada relajados, jugaron a las cartas, encendieron la chimenea, comieron bien y dieron paseos por la playa. Solo ellos cuatro.

Por lo general, solían celebrar Valpurgis con amigos íntimos, pero en esta ocasión habían rechazado la compañía. Para gran desilusión de sus padres, esto también afectó a la tradicional comida del uno de mayo en el jardín. Los chicos tampoco pudieron invitar a sus amigos. Line y él estuvieron de acuerdo en que lo que necesitaban era aislarse de todo y sencillamente estar juntos.

Knutas había tenido dudas antes de emprender el viaje. Le angustiaba pensar cómo saldría todo, no sabía cómo comportarse para recuperar la confianza de Nils. Si es que aún estaba a tiempo. La desesperación infinita que sintió tras su discusión se había suavizado poco a poco. Pero las palabras de su hijo le causaron profundas heridas, y se preguntaba si algún día sanarían.

Después de la pelea se trataron mutuamente con educación, manteniendo las distancias. No sabía si sería positivo volver a hablar de ello, quizá eso lo empeorase todo.

Deseó que Nils diera el primer paso para una reconciliación. Cuando los niños eran pequeños, él siempre había tomado la iniciativa tras un enfado o una pelea. Su responsabilidad como adulto era solventar los problemas. Pensaba que la reconciliación era lo más importante. Pero ahora él era el culpable de lo sucedido. Parecía que todo estuviera patas arriba. En lo más profundo de su ser, creía que Nils debería haber pedido perdón por sus brutales palabras. En caso de que no hubiera deseado pronunciarlas, claro. Porque quizá las había dicho a conciencia. Este pensamiento le produjo un profundo malestar.

Se preguntaba de dónde procedía esa falta de confianza en él. Line y Knutas apenas se peleaban, no tenía problemas con las drogas ni era violento. Vivían bien, se ocupaba de su trabajo y pagaba los recibos. Siempre había comida en la mesa y siempre acudían a las reuniones de padres de la escuela. Cada año se iban de vacaciones y tenían una casa de campo. No solían negarse a dar dinero a sus hijos cuando lo necesitaban para ir al cine ni tampoco a que invitaran a un amigo a ir a casa. ¿Cuánto se les podía pedir a los padres?

Creía que los escuchaba, siempre les preguntaba cómo les había ido en el colegio y en los entrenamientos. Eso debería de haber sido suficiente, uno no podía tener charlas de psicólogo cada noche con los chicos.

Al parecer, Nils pensaba de forma diferente, quizá Petra también. Aún no se había atrevido a preguntarle a su hija. Lo único que podía hacer era ser un buen padre. Evitar entrometerse en los asuntos de sus hijos.

Más adelante, el tiempo diría.

La fiesta de Valpurgis transcurrió sin altercados. No hubo peleas, ni siquiera la menor irritación entre los chicos. Como si lo ocurrido los hubiera vuelto sumisos. Por la tarde jugaron a las cartas y Nils consiguió esbozar alguna sonrisa. En un momento Knutas se sentía alegre y al siguiente, totalmente inseguro. Registraba cada gesto y cada mirada, interpretaba cualquier detalle.

Le resultó imposible relajarse.

Pasada la fiesta, Knutas se dirigió a pie desde la comisaría a Tranhusgatan, donde vivía Veronika Hammar. Hacía sol y las calles de Visby estaban casi desiertas. Era en esta época del año cuando la ciudad lucía en su máximo esplendor, pensó al pasar por Klinten y disfrutar de las vistas del mar en el horizonte, un primer plano de la imponente catedral y el conglomerado de casas pintorescas, ruinas medievales y sinuosas callejuelas. Subió las escaleras de la catedral y entró en Biskopsgränd, pasó las ruinas de San Clemens y llegó a Tranhusgatan, que bordeaba el Jardín Botánico. Veronika Hammar vivía en una casita blanca y lustrosa que parecía ser de finales del siglo pasado. No había nadie en la calle. Retiraron la vigilancia el día anterior, a pesar de que él había intentado convencer al comisario jefe de que se mantuviera durante el fin de semana. La respuesta que recibió fue la habitual. No había recursos para ello.

Tras el último estallido de Veronika Hammar, a Knutas le daba pavor el encuentro. No obstante, decidió ir solo. Si le hubiera acompañado alguien, lo más probable es que ella se hubiera sentido intimidada, y comprendía que había que tener mucho tacto con esta mujer. Llamó la víspera para anunciar su visita. Ella respondió en tono amable y solícito, como si hubiera olvidado lo que ocurrió la última vez.

Tomó impulso y llamó a la puerta. No obtuvo respuesta. Volvió a intentarlo cuatro veces más. Cuando estaba a punto de abandonar, la puerta se entreabrió muy despacio.

—Primero quería asegurarme de quién llamaba. Esos malditos tacaños han retirado la vigilancia —explicó Veronika Hammar, observándolo con una mirada opaca. La lacia melena le caía a ambos lados de la cara. Vestía unos feos pantalones de chándal y una vieja rebeca sucia a la que le faltaba el cinturón. Su habitual elegancia parecía haberse esfumado.

La saludó con cortesía confiando en que no se le notara lo mucho que le impresionó su aparición. Ella le indicó que pasara, entraron en un salón acogedor con vigas de madera y cortinas floreadas y salieron a una terraza en la parte trasera, donde tomaron asiento. El sol se abría paso en el pequeño jardín.

—¿Cómo está?

Ella esbozó una ligera sonrisa.

—Bueno, sobreviviré. Eso espero.

Knutas la observó en silencio mientras ella servía café de una vieja cafetera de porcelana rosa con flores. La taza que le ofreció estaba algo sucia, a pesar de lo cual bebió un sorbo, para recomponerse. Veronika Hammar parecía trastornada. El café estaba poco cargado y tibio.

—¿Qué tal le ha ido desde que regresó del hospital?

—Bien, gracias. Todo va bien.

Knutas arqueó las cejas. La imagen que transmitía Veronika Hammar era muy diferente de lo que afirmaba.

—¿Ha visto a alguien sospechoso?

—No se imagina cuántas personas extrañas y de poco fiar hay aquí. He dejado de salir a la calle desde que regresé del hospital.

—¿Y cómo se las arregla?

—Le pido a Andreas que me haga la compra. Él es el único hijo que me queda en Gotland.

Sus labios temblaron. Sacó un paquete de cigarrillos del bolsillo de la chaqueta y encendió uno. Knutas percibió un ligero temblor en su mano.

—Bueno, precisamente he venido a hablar de sus hijos —dijo—. ¿Cómo describiría su relación con ellos?

—Vivo por y para los chicos; siempre ha sido así. Es maravilloso tenerlos, me hacen muy feliz. Sin ellos, me habría hundido hace tiempo.

Clavó la mirada en él.

—Mis hijos y yo estamos muy unidos, mantenemos una relación muy especial.

Knutas se revolvió en la silla.

—Empecemos por Andreas; ¿cómo describiría su relación con él?

—Muy buena. Me da seguridad. Siempre puedo confiar en él, pase lo que pase. Desde que se fue de casa, ha vivido solo, pero nos hemos tenido el uno al otro, y eso ha significado un gran apoyo para mí.

—¿Usted también ha estado sola todos estos años?

Veronika Hammar lo miró con semblante disgustado.

—Desde que me divorcié, sí, se podría decir que sí.

—¿No mantenía una relación con Viktor Algård?

—Por favor, si apenas duró un par de meses… Acabábamos de conocernos.

Knutas la estudió con la mirada. La última vez que hablaron, ella había descrito a Viktor como su gran amor y aseguró que estaban a punto de casarse.

—¿Y los otros? ¿Simon?

—Él es el más parecido a mí, pensamos de la misma manera. Nos entendemos.

—Ahora vive en Estocolmo…

—Solo de momento. Se vio obligado a irse, ya sabe, para alejarse de esa horrible polaca con la que vivía, o quizá fuera húngara. Se portó muy mal con él. Desde el principio supe que la cosa no duraría.

—¿Por qué?

Sus labios se contrajeron, la mirada se llenó de odio.

—Bueno, en primer lugar, eran totalmente opuestos. Simon es una persona sensible y abierta, igual que yo. Esa Katrina era tosca, callada e introvertida, malhumorada y grosera. ¡Uf!, estoy realmente contenta de que acabara esa historia.

—Por lo que sé, no se encuentra muy bien.

—No me extraña. Ella lo machacó durante años. Era muy dominante, él tenía que bailar al son que tocaba Katrina. Ella era la que llevaba los pantalones en esa casa, una se daba cuenta en cuanto entraba allí. Pronto se recuperará y entonces volverá a Gotland, al lugar al que pertenece. Le he dicho que puede vivir conmigo, tengo sitio de sobra.

—¿Tiene mucho contacto con él?

—Hablamos por teléfono a diario.

—¿A diario?

—Sí, tenemos una relación muy especial. Nos comprendemos, estamos en la misma longitud de onda. Sí, casi da miedo lo parecidos que somos. Siempre capta lo que quiero decir. Y no es bueno que esté en Estocolmo completamente solo.

—Si la relación es tan buena, ¿por qué no se muda ya? Así estaría más cerca de su hijo. ¿Qué se lo impide?

—Por favor, no es tan difícil de entender. Simon está pasando una depresión, necesita descansar un tiempo. Pero pronto acabará todo y entonces vendrá, lo sé.

—¿Cuánto hace que se fue?

—No estoy segura. Creo que en Navidad.

—Así que han pasado más de cuatro meses.

Veronika Hammar no respondió. Su boca se transformó en una estrecha línea.

—¿Y Mikaela, su hija?

—Bueno, Mikaela… —Suspiró, y esbozó una sonrisa—. Mi pequeña. Ella hace su vida, es independiente.

—Vive lejos de aquí, ¿es difícil dar con ella?

—¿Difícil? ¿Por qué habría de serlo? Hay personas que tienen a sus hijos en Australia.

—Por lo que sé, hace tiempo que no se ven.

—¿Qué insinúa? ¿Que no tengo relación con mi hija? Es lo más ridículo que he oído.

De pronto se puso en pie y comenzó a recoger las tazas. Desapareció con ellas en el interior de la casa sin decir una sola palabra. Knutas aguardó mientras calculaba cómo continuar sin arriesgarse a una nueva explosión. El sol calentaba y empezó a sudar dentro del traje. De pronto se sintió encerrado en aquel estrecho jardín, deseó marcharse de allí. Había algo desagradable en torno a Veronika Hammar. Era impredecible, resultaba imposible adivinar cuál sería su siguiente paso. ¿Por qué se empeñaba en negar que la relación con su hija se hubiera roto?

Apareció en la puerta y él no tuvo tiempo de profundizar en sus confusos pensamientos. Tenía el semblante malhumorado, no se inmutó.

—Quiero que se vaya —dijo, lacónica.

—Pero tengo más preguntas que hacerle —objetó—. ¿Qué tal es su relación con Mats, su hijo mayor?

La mirada de Veronika Hammar se oscureció. Respiró con dificultad antes de recuperar el habla.

—¿No ha oído lo que he dicho? ¡Fuera, fuera de mi casa! —gritó de tal forma que escupió gotas de saliva.

Knutas la observó sorprendido. Sus ojos revelaban un vestigio de locura. Pensó que la mujer no estaba en sus cabales.

Se puso de pie y pasó junto a ella.

—Gracias por el café —se despidió con voz apagada.

En cuanto acabó la visita a Veronika Hammar, Knutas llamó a Karin. El trabajo se desarrollaba con fluidez y, de momento, su presencia no era necesaria. Decidió recoger el coche en la comisaria, conducir hasta Holmhällar y echarle un vistazo al lugar del incendio. La Policía científica había finalizado su examen, pero ningún dato nuevo había salido a la luz; solo pudieron reforzar la idea de que el incendio fue provocado. Lo más probable es que el fuego se iniciara en la cocina, lo cual indicaba que el asesino entró en la casa.

Knutas se sentía frustrado por carecer de un sospechoso claro. La sombra del delincuente bailaba ante él sin que pudiera descifrar sus movimientos. Faltaba un eslabón. Por un lado, estaba el envenenamiento que, al parecer, se produjo por error; por otro, el intento fallido de matarla en un incendio. No se enfrentaban a un asesino experimentado ni ingenioso. Al contrario, las circunstancias indicaban que se trataba de una persona que actuaba por impulso, alguien relacionado con el círculo íntimo de Veronika Hammar. Quizá fuera uno de sus hijos, pensó. O bien, mantiene una relación con una persona que desconocemos. Debían hablar con ella de nuevo, y a continuación, con los hijos. Prefería hacerlo él en persona. Simon seguía sin responder al teléfono y Mats y Mikaela continuaban de viaje.

Knutas condujo por la carretera de la costa hacia el sur. El tiempo era agradable y anunciaba la proximidad del verano. Los abedules mostraban sus yemas y las flores primaverales poblaban la cuneta.

Al aproximarse al desvío hacia Holmhällar, pensó en Sten Bergström. ¿Lo habían vuelto a interrogar? Tenía que acordarse de comprobarlo con Rylander. El antiguo rival de Viktor Algård vivía a pocos kilómetros de la urbanización donde tuvo lugar el incendio. ¿Sería una coincidencia? Pudiera ser que Bergström tuviera más secretos en el armario, aparte de la conocida pelea empresarial. Tenía la misma edad que Veronika Hammar y eran casi vecinos. Durante el interrogatorio solo hablaron del conflicto relacionado con los negocios de Algård y Bergström. ¿Habría quizá algo más?

Otra persona rondaba en su mente: Elisabeth Algård, la viuda. Después del primer interrogatorio, Knutas la había desechado prácticamente como sospechosa. Aunque tenía una coartada para el incendio, ¿no se habría precipitado al descartarla? Era consciente de que actuar con estrechez de miras al comienzo de una investigación podía tener consecuencias nefastas.

La Policía de Estocolmo finalmente consiguió localizar e interrogar a Simon, el hijo de Veronika Hammar, pero no había proporcionado ningún dato de interés. Les dio la impresión de que tanto su cuerpo como su mente se encontraban demasiado débiles para cometer un asesinato. Otra suposición, pensó Knutas sarcástico. Normalmente solía ser al revés. En realidad, las personas matan porque se sienten mal psíquicamente.

Antes de llegar a la pensión Holmhällar giró para adentrarse en un sendero del bosque. La zona que rodeaba la casa aún seguía acordonada.

Knutas paseó durante un buen rato entre los restos del jardín de Veronika Hammar. Lo único que quedaba de la casa eran los cimientos cubiertos de hollín. Miró hacia el mar. No se veía desde el lugar en el que se encontraba, pero le llegaba su rumor. Trató de imaginarse a Veronika Hammar en ese ambiente. Vio su rostro desencajado, la explosión que tuvo en el hospital. Era una mujer inestable. Impredecible y quizá peligrosa. ¿Sería ella quien estaba detrás de todo? Jugó con esa idea mientras se movía entre los restos calcinados de la casa. Una mujer podría haber cometido el asesinato de Viktor Algård. Para envenenar a alguien no hace falta fuerza física; es algo rápido, incruento y efectivo.

Veronika Hammar tenía una relación complicada con sus hijos. Al parecer, carecía de amistades. Sus padres habían fallecido, al igual que su exmarido, el padre de tres de sus hijos. Cuando Karin lo investigó, descubrió que no había rastro del padre de Mats, el primogénito. Veronika Hammar había asistido a la fiesta y mantenía una relación con la víctima. Su estudio de pintura se encontraba en el jardín de la casa donde Viktor Algård tenía su apartamento. Había estado en el lugar del crimen, sus huellas dactilares aparecían por todas partes. Ella misma pudo haber preparado el episodio de la bebida. Aunque el camarero había confirmado que un hombre la había invitado a una copa, ¿quién podría asegurar que Veronika Hammar no se lo hubiera pedido a alguien y hubiese preparado ella misma la bebida?

Podían existir motivos. Quizá Viktor Algård se arrepintiera y hubiera decidido no abandonar a su mujer. No era raro que los celos motivaran un asesinato.

Una mujer llena de furia, ofendida, herida y agraviada, además de psíquicamente inestable, era capaz de cometer cualquier locura. Una persona así podía ser muy peligrosa.

Observó la devastación del incendio. ¿Veronika Hammar habría llegado tan lejos como para sacrificar la casa donde vivía con tal de despistar a la Policía?

Las preguntas se sucedían una tras otra.

Regresó abatido al coche.

Cuando Knutas volvió a su despacho tras su paseo por Holm-hällar, almorzó dos sándwiches de queso y un café. Se balanceaba con cuidado en la silla mientras cargaba la pipa. Intentaba ordenar sus impresiones del día y sus pensamientos lo condujeron a Veronika Hammar, la extraña.

Habían interrogado a dos de sus hijos. Ninguno de ellos tenía coartada. Ahora bien, ¿qué motivos podría albergar su hijo Andreas para matarla?

La relación con su madre parecía bastante fría y esporádica, aunque no era peor de la que se veía en otras familias. Durante el interrogatorio se mostró bastante parco en palabras.

Por fin, Karin consiguió localizar en Bolivia a Mikaela, la hija desaparecida, a través de un voluntario. Por lo visto, abandonó Gotland y a su madre hacía varios años, y no había retomado el contacto con ella. Sencillamente, no aguantaba el papel de víctima y mártir de su madre, que embadurnaba su propia existencia desde que era niña. Ella fue la más abierta de todos los hermanos y explicó que las exigencias de su madre la estaban destruyendo, le impedían vivir su propia vida. Ansiaba disfrutar de una existencia digna, afirmó.

Mikaela sufrió una crisis en la adolescencia y padeció trastornos alimentarios durante años. No quería arriesgarse a enfermar de nuevo, sobre todo ahora que debía responsabilizarse de sus hijos.

Quizá, al fin, hubiera decidido vengarse. Se marchó de viaje cuando se quemó la casa que ocupaba su madre. ¿Se trataba de una casualidad o formaba parte de un plan bien trazado? Aún no la había visto en persona. Se esperaba que llegara el día siguiente. Mats, el hijo mayor, también regresaría de su viaje al extranjero en los próximos días.

Simon, el menor, era quizá el más afín. Se encerró en sí mismo cuando los compañeros de Estocolmo intentaron interrogarlo, aunque Katrina, su antigua pareja, fue de lo más sincera. Les contó que se había separado hacía unos meses porque comprendió que Veronika ocupaba un espacio excesivo en sus vidas y que él era demasiado débil para liberarse. Su madre siempre tenía prioridad sobre ella, e incluso sobre Daniel, el hijo de ambos. Al final comprendió que nunca cambiaría. Huyó a Estocolmo, se instaló en un apartamento que le habían prestado y sufría una gran depresión.

Knutas sintió la urgencia de ver a los hijos de Veronika Hammar. Una comezón de impaciencia se agitaba en su interior.

Consultó el reloj. Las cuatro y cuarto.

Tenía tiempo de sobra.

Nunca olvidaré ese día. El día en el que todo se derrumbó. Había salido del trabajo a las cuatro para recoger a Daniel en la guardería a las cuatro y media. Ya era de noche. Faltaba poco tiempo para la Navidad y todas las ventanas estaban iluminadas con lámparas de adviento. Llevaba varios días nevando sin cesar, para alegría de los niños. Daniel estaba agotado; habían pasado todo el día jugando fuera, deslizándose en trineo por la pequeña pendiente que se encontraba detrás de la guardería y haciendo muñecos de nieve que permanecían allí, en formación, en el jardín cubierto de nieve.

Quiso ir sentado en el cochecito hasta la tienda. Paramos a comprar en Konsum; yo iba a preparar unas salchichas de Falu con macarrones. Al llegar a casa, lo senté frente al televisor mientras preparaba la cena. Katrina llegó justo antes de que empezáramos a cenar. Cuando la abracé en la puerta parecía cansada y estaba pálida; bueno, ¿y quién no, en esa época del año?

Al terminar, dejó que me quedara a la mesa mientras ella recogía y llenaba el lavaplatos. La observé en silencio. No solíamos hablar mucho. Yo pensaba que, aun así, teníamos una buena relación. Yo trabajaba en un taller y ella era secretaria. Vivíamos en un apartamento en Bogegatan y llevábamos una vida tranquila. Katrina es húngara; llevaba en Suecia año y medio cuando nos conocimos en casa de un compañero de trabajo. Era morena y guapa. Su sonrisa fue lo primero que me llamó la atención. Aquellos labios rojos y el negro contorno de sus ojos. Las isleñas no se maquillaban tanto. Era alta y delgada y sonreía a todo el mundo. Quizá a mí un poco más. Antes no había tenido relaciones duraderas, era algo que no me interesaba. Me gustaba valerme por mí mismo sin que nadie se inmiscuyera en mi vida. Disfrutaba del silencio del apartamento, de las comidas en solitario ante el televisor. En el trabajo me ocupaba de mis asuntos. Me apañaba a la perfección y nadie se quejaba. Dedicaba la mayor parte de mi tiempo libre al gimnasio. Allí pasaba varias horas, un día tras otro. Los aparatos relucientes eran mis mejores amigos. Me esforzaba tanto que me dolía el cuerpo, disfrutaba del esfuerzo cuando los músculos se tensaban al máximo. Entonces la mente se quedaba en blanco y me relajaba por completo. El culturismo fue mi salvación. Quizá Katrina se prendara de mi cuerpo, no puedo dejar de pensarlo, aunque sé que quizá parezca un reproche y que lo más probable es que no sea cierto.

Después de acostar a Daniel, como de costumbre, tomamos café frente al televisor. En cuanto terminó la serie sueca que seguíamos, Katrina se levantó del sofá y lo apagó. «Hay algo de lo que quiero hablar contigo.» El estómago me dio un vuelco de alegría. Lo primero que pensé es que estaba embarazada de nuevo. Deseaba tanto tener otro hijo, que esperaba que ocurriera. Un hermano para Daniel, tal vez una hermanita, una hija. No habíamos vuelto a utilizar métodos anticonceptivos tras el nacimiento de Daniel y pronto cumpliría tres años. Recuerdo que cerré los ojos durante un rato. Deseaba conservar el instante en mi corazón. Mis ojos se llenaron de lágrimas antes de que regresara a sentarse a mi lado en el sofá. Parecía que le resultaba difícil encontrar las palabras. Me tomó la mano y me miró muy seria. Su rostro era casi transparente. Me embargó la ternura. Dirigí la vista a su cintura. Llevaba una camiseta de color frambuesa por dentro de los vaqueros y un estrecho cinturón negro. Estaba tan delgada como de costumbre. No se notaba nada, todavía. Entonces rompió el silencio. Las palabras llegaron despacio, demorándose, como si salieran desde lo más profundo:

—Esto no funciona.

La miré fijamente sin comprenderla. Desvió la mirada y tragó saliva. Carraspeó antes de continuar.

—Te quiero mucho, no es eso, pero somos muy diferentes. Daniel y yo no somos tu prioridad, dejas que tu madre ocupe un espacio demasiado grande. Se pega a nosotros como una lapa, no aguanto más esta situación. Siempre tengo que compartirte con ella. En cuanto llama pidiendo ayuda, corres a verla. Viene a vernos todos los fines de semana. Nos amarga la vida y nunca nos deja en paz. A veces hablas con ella cuatro, cinco veces al día. Cada vez que suena el teléfono se me hace un nudo en el estómago, pues temo que sea tu madre. He intentado decírtelo muchas veces, pero no me tomas en serio; lo rechazas. Permites que nos invada, permites que sea desagradable conmigo y te dejas manipular por ella. No lo aguanto más. Ni siquiera podemos ir de vacaciones en paz. Eres un buen padre para Daniel, no es eso. De verdad. —Me apretó ligeramente la mano para subrayar las palabras—. Pero parece que no deseas liberarte de tu madre para poder vivir tu propia vida, o eres incapaz de hacerlo. No te pido que no le hagas caso, tan solo que reduzcas el contacto con ella. Que no le dejes ocupar tanto espacio. Pero no me haces caso y ya no quiero seguir. Me rindo. Crees que ella es más importante que yo. Para ti ella es tu familia, por delante de nosotros. Me he sentido desilusionada tantas veces y las cosas nunca cambian, nunca. He estado dándole vueltas al asunto, he pensado que podríamos seguir juntos por Daniel, pero he llegado a la conclusión de que a él no le conviene vernos así de mal. Los niños notan esas cosas. Podemos tener la custodia compartida, funcionará bien, descuida. Puede vivir una semana contigo y otra conmigo. Lo importante es que nos separemos como amigos.

Las palabras fluyeron como si hubiera preparado de antemano lo que iba a decir. Parecía habérselo aprendido como un maldito discurso. Permanecí sentado, paralizado. Las palabras llegaban como carros de combate y me masacraban.

—Lo he pensado mucho y estoy decidida. Esto no funciona —volvió a repetir—. Me mudo a casa de Sanna esta noche, ya he preparado una maleta, la tengo ahí. —Cabeceó hacia el recibidor—. Mañana podemos seguir hablando. Me he tomado unos días de vacaciones y me llevaré a Daniel para que puedas pensar las cosas con calma.

Volvió a apretarme la mano una vez más como si buscara mi aprobación. Confirmar que me enteraba y lo aceptaba. Que yo también lo deseaba. Mis labios estaban secos, no podía despegarlos. No pronunciaron ni una sola palabra. Cuando cerró la puerta, yo aún seguía en el sofá en la misma postura, mirando fijamente con los ojos secos la pantalla oscura del televisor.

Y mi mundo se vino abajo.

El avión aterrizó en el aeropuerto de Bromma a las cinco y media de la tarde. Knutas se alegró de que Karin enseguida hubiera aceptado acompañarlo a Estocolmo. En casos de interrogatorios delicados, lo mejor era que fueran dos personas y, a poder ser, de confianza. No conocía demasiado a sus colegas de Estocolmo. Había conseguido hablar con el marido de Mikaela Hammar y la avisó de que pasarían por su casa al día siguiente. Estuvo de acuerdo, a pesar de que ella regresaba ese mismo día de Sudamérica. El avión aterrizaría a las siete de la mañana. Knutas y Karin alquilarían un coche y conducirían hasta Vätö, a unos cien kilómetros de Estocolmo. Acordaron verse después del almuerzo.

El sol del atardecer teñía de rojo la capital. El taxi atravesaba lentamente la ciudad. La hora punta ya había comenzado y tuvieron tiempo de sobra para contemplar la urbe. La gente abarrotaba las terrazas de los cafés y restaurantes.

–Es increíble, todo está lleno, menuda animación –apuntó Knutas.

–Visby pronto estará igual.

Karin esbozó una sonrisa ambigua. Parecía más relajada que de costumbre.

Se apearon frente a un regio edificio en medio de Kornhamnstorg, en Gamla stan. Alrededor de la plaza había un reguero de terrazas donde la gente vestía ropa veraniega y disfrutaba del sol de la tarde y una cerveza después del trabajo. Frente a ellos se encontraba el puerto de Skeppsbron, desde donde uno de los barcos de Djurgård zarpaba hacia la isla verde. En la esclusa Karl-Johan, unos cuantos turistas entusiastas esperaban en sus embarcaciones de recreo para cruzarla y descender al Saltsjön. Lo más probable era que se dirigieran al archipiélago para disfrutar del buen tiempo durante el fin de semana.

Karin marcó el código de la puerta. Tomaron el ascensor hasta el cuarto piso.

Knutas pensó que Simon Hammar no aparentaba treinta y tres años. Tenía un parecido asombroso con su madre, vestía unos vaqueros desgastados y una camiseta arrugada.

—Pasen —dijo, sin el menor entusiasmo.

Era el típico piso de finales del XIX con techos altos de estuco, amplios rodapiés y suelos de madera algo desnivelados a causa del asentamiento del edificio. A un lado del pasillo se sucedían las habitaciones que daban al mar con fantásticas vistas al lago Mälaren y a la bahía Saltsjön. Karin y Knutas abrieron los ojos de par en par al entrar en el imponente salón. Se acercaron a la ventana para contemplar las vistas.

Estaban en el centro de Estocolmo. Karin, que conocía la capital mucho mejor que Knutas, señaló la casa roja Laurinska en Mariaberget, con sus almenas y torres, la fachada amarilla del teatro Södra arriba, en Mosebacke, y la estatua ecuestre de Carlos XIV Juan de Suecia señalando orgulloso la ciudad.

El salón, de al menos cincuenta metros cuadrados, estaba amueblado con un sofá, una mesa baja y dos sillones. En un rincón había una chimenea. Estaba tan vacío que había eco. Se sentaron alrededor de la mesa. A pesar de que en el apartamento hacía un calor asfixiante, Simon Hammar no les ofreció nada de beber y encendió un cigarrillo.

—¿Puedo abrir una ventana? —preguntó Knutas.

—No; entra demasiado ruido.

Knutas y Karin intercambiaron una mirada. El interrogatorio no iba a resultar fácil. Knutas decidió ir directo al grano.

—¿Sabe si su madre tiene enemigos, si hay alguien que quiera hacerle daño?

Simon Hammar observó a los dos policías con una mirada insondable.

—No, ¿por qué?

—Quizá esté en peligro. Tenemos motivos para sospechar que alguien la acecha. Es probable que mataran a Viktor Algård, su novio, por error. El asesino podía haber querido matar a su madre. Después incendiaron su casa de campo cuando ella estaba dentro.

—Viktor Algård... ¿Mamá y él estaban juntos?

—Sí.

Simon Hammar esbozó una media sonrisa y meneó la cabeza.

—¿No lo sabía? —inquirió Karin.

—No, no me había dicho nada.

—¿Así que tienen contacto?

—Sí, claro, ahora solo hablamos por teléfono. Pero hace tiempo que no me llama.

—Y usted, ¿no la llama?

—No.

—¿Qué tal se lleva con su madre?

El joven se sobresaltó de tal manera que se le cayó la ceniza del pitillo en el sofá.

—¿Por qué tendría que contarles eso?

—Porque es importante para nosotros.

Simon Hammar miró fijamente a Knutas con desconfianza. Permaneció un buen rato sentado en silencio y los dos policías comenzaron a agitarse en sus sillones.

—¿Qué tengo yo que ver en eso que me cuentan?

—No hemos afirmado que tenga algo que ver, pero queremos saber qué piensa sobre su madre.

—¿A qué diablos se refieren? —preguntó, exaltado—. ¿Qué pienso de ella?

—¡Basta ya! —exclamó Karin, irritada y cansada de la antipatía de Simon—. Estamos investigando varios crímenes muy serios que iban dirigidos contra su madre. Ahora queremos saber qué relación tienen ustedes. Solo debe responder a la pregunta.

—¿Y cómo diablos voy a poder explicarlo en cinco minutos? ¿Qué tengo que decir? ¿Con qué frecuencia nos vemos? ¿Si hablamos por teléfono? ¿Qué criterio seguimos?

—Sabemos que su hermana ha roto su relación con ella. ¿Por qué lo hizo?

—Mikaela quería tener la oportunidad de vivir su propia vida —respondió Simon con voz apagada.

—¿Qué quiere decir?

—Mamá tiene la virtud de asfixiar a sus hijos. Mikaela hizo lo único que podía hacer.

—¿Y por qué usted no ha hecho lo mismo?

—Yo soy demasiado débil, supongo. O demasiado fuerte, depende de cómo se mire.

—¿Qué quiere decir?

—Que yo, a pesar de todo, aún albergo la pequeña esperanza de que al final todo acabará bien. Deseo que podamos encontrarnos y reconciliarnos, y sobre todo, que ella sea feliz. Un *happy ending*.

La voz de Simon se apagó. Se hizo el silencio y encendió otro cigarrillo.

—¿De verdad cree que usted puede arreglarle la vida y hacerla feliz? —preguntó Karin.

—Eso he creído siempre. Durante toda mi vida.

—¿Tiene un pitillo? —pidió Karin—. Y una cerveza fría tampoco estaría nada mal. Además, voy a abrir la ventana, lo quiera usted o no.

Permanecieron en el apartamento unas cuantas horas. Poco a poco, y para su sorpresa, Simon se sinceró y les relató todas sus dificultades, tanto las de la infancia como las actuales. Karin se mostró muy participativa y fue la que consiguió ganarse su confianza. Knutas se mantuvo en un segundo plano, escuchó y observó. Ya habían dado las nueve de la noche cuando abandonaron el apartamento. Mientras bajaban en el ascensor, Karin miró a Knutas.

—No creo que sea él.

Cuando subí al tren de cercanías a Nynäshamn ya lo sabía. Había llegado el principio del fin. Contemplé en silencio el paisaje a través de la ventana. Las onduladas colinas de Södertörn, los caballos en las dehesas, los campos de cultivo.

Me apeé en Nynäshamn, compré un periódico y una barrita de chocolate en el quiosco y caminé hasta la terminal marítima. El día era gris, el mar estaba agitado. El viento soplaba con fuerza en el muelle; me alcé el cuello del polo.

El clima acompañaba mi estado de ánimo. Fatalista. Todo iba a acabar. El barco se encontraba medio vacío, aún no había comenzado la temporada turística y no era fin de semana.

Me senté en una tumbona y cerré los ojos. No me molesté en ir al bar, aunque me apetecía un café. No soportaba a la gente.

Solo deseaba ver a una persona.

Estoy vacío, no tengo sentimientos. Me siento consumido, maltratado, destrozado, como una cosechadora vieja. Todas mis ilusiones aplastadas, mis ataques de histeria y de locura, controlados desde que tenía uso de razón. No tengo derecho a una vida propia. Al fin he logrado comprenderlo.

Ella es más fuerte, ha ganado. Solo hay una manera de liberarme de mi atormentadora, de mi carne y de mi sangre, de la mujer que un día me dio esta vida miserable. Me pregunto por qué razón me trajo al mundo. ¿Para atormentarme, para consumirme, para destrozarme? ¿Para que en el árbol genealógico siguiera transmitiéndose el patrón de padre fracasado? Atormentad a vuestros hijos una generación tras otra, dejad que sufran, que no disfruten de un padre y una madre ya que tú nunca pudiste, vieja

de mierda. Impides que los demás disfruten de lo que tú no tu-
viste. Tus hijos no pueden tener éxito en sus relaciones, ya que
tú nunca lo conseguiste. Tus hijos intentan llevar una vida digna,
pero tú se lo impides constantemente. Te cruzas en medio del camino, como un demonio grande y malvado que llena sus pobres
cuerpos del mismo odio que atesora. Y ellos repiten tu conducta
irracional.

Ya no aguanto más. Solo hay una forma de acabar con esto.
Por fin sucederá lo que tanto he añorado. Sin embargo, la idea
no me llena de alegría ni esperanza, sino de una profunda y pesada pena.

Mantengo los ojos cerrados hasta llegar a Gotland.

Salir a la calle fue un alivio para ambos. Ya había caído la noche, pero el ambiente aún era cálido.

—¿Vamos a comer algo? —propuso Karin—. Estoy hambrienta.

Habían reservado un hotel cerca de Slussen y decidieron subir caminando hasta las terrazas de Mosebacke. Estaban llenas de gente pero consiguieron una mesa. No mucho después, se encontraban ante unos filetes de cordero empanados y una botella de tinto.

—¿Por qué estás tan segura de que Simon no es el asesino? —preguntó Knutas, y atacó la comida.

—Me parece que es demasiado inestable. ¿Cómo iba a conseguir veneno, asesinar a Viktor a sangre fría durante la fiesta, ir a Holmhällar y quemar la casa de veraneo que ocupaba su madre, donde él mismo pasó los veranos de su infancia? Creo que no encaja con su personalidad.

—No, quizá tengas razón.

—Katrina, su ex, dice lo mismo. Nunca podría hacerlo, aunque tal vez lo deseara.

—Sí, claro. Pero las parejas de los criminales siempre dicen lo mismo: «Nunca podría haber pensado… nunca le haría daño a una mosca…».

—Tiene que ser horrible tener una madre así —dijo Karin, con énfasis—. Es una maldita niña grande a la que siempre hay que ayudar y que, además, ¡nunca está satisfecha! Conseguirlo sería más difícil que rellenar el Gran Cañón con cucharillas de agua. ¡Allí por lo menos hay fondo!

217

—Por supuesto. Lo más probable es que Veronika Hammar padezca algún tipo de trastorno psíquico; su comportamiento no parece normal.

—En cierto modo, todos los hermanos tienen motivos de sobra —señaló Karin, pensativa—. La única manera de poder vivir sus propias vidas es cortar con ella o matarla.

—Puede que tengas razón. Si Simon no es capaz de hacerlo, nos quedan su hermana Mikaela y Andreas. ¿O por qué no Mats, el abandonado?

—No ha tenido contacto con su madre durante todos estos años. Me inclino más por el pastor de ovejas.

—Andreas Hammar, sí. Él podría ser. Además, ¿el cianuro no se encuentra en el ácido cianhídrico que se utiliza en el matarratas? Podría tener ese producto en la granja.

—Quizá. Bien, mañana hablaremos con Mikaela. A ver qué nos cuenta. Como última opción, nos quedaría otra alternativa: la propia Veronika Hammar.

—¿Por qué querría matar a la persona a la que ama y, además, quemar su propia casa?

—Puede que su desarreglo psíquico sea peor de lo que pensamos. Quizá Viktor Algård descubrió que tenía un lado difícil y deseaba abandonarla. Con lo irracional e inestable que parece, puede que se vengara matándolo y para alejar sospechas, quemó luego la casa. A lo mejor preparó lo del vaso como una pista falsa.

Karin miró a Knutas con escepticismo.

—Esa teoría me parece demasiado rebuscada. Quizá estemos completamente equivocados. Nos estamos empecinando en que tiene que ser obra de alguien de la familia. Imagina que se trate de otra persona.

Knutas comenzó a sentir los efectos del alcohol. Estaba agotado después de los incidentes de la última semana y le resultaba agradable encontrarse allí, bebiendo vino con Karin en el bullicio de Estocolmo.

—Tal vez. Parece que hoy no hayamos avanzado. Necesito relajarme y refrescar la mente. ¿Quieres más vino?

—Sí, gracias.

Llamó a Line mientras se dirigía a la barra. Sintió un pinchazo de mala conciencia por haberse ido a Estocolmo nada más regresar del campo, y además, a pasar la noche. Y por sentirse a gusto en Mosebacke en compañía de Karin. Lejos de todos y de todo. Pidió otra botella. ¿Qué le pasaba? ¿Por qué estaba irritado? No había razón alguna para tener mala conciencia. Durante los casi veinte años de matrimonio, nunca había sido infiel y su relación con Karin era estrictamente profesional. Solo en una ocasión hubo algo parecido a tensión sexual. Ocurrió el verano anterior, tras una noche de copas. Acabaron en casa de Karin sentados en el sofá escuchando a los Weeping Willows y bebiendo champán. De repente surgió algo en el ambiente, una sensación nueva que le asustó. Se sintió tan incómodo que se levantó enseguida y dijo que tenía que irse a casa. En el recibidor la besó en la boca. Fue un gesto fugaz, pero suficiente para que la cabeza le diera vueltas.

Al regresar a la mesa abriéndose paso con los codos, Karin esbozó una sonrisa. Se había pintado los labios.

—Por cierto, olvidé decirte que ayer hablé con Kihlgård. Ha recibido los resultados de las pruebas. No era nada, ¡está sano!

—Me alegra oírlo. Me tenía realmente preocupado.

—Está demasiado gordo y se mueve muy poco. Así que ahora tiene que empezar a entrenarse en el gimnasio. ¿Te imaginas a Kihlgård en mallas?

Knutas esbozó una mueca. La idea era divertida. Se imaginó al alegre comisario bajito saltando junto a un grupo de atléticos veinteañeros.

Karin encendió un cigarrillo.

—¿De qué vamos a hablar ahora? —dijo, provocadora—. Ya que no quieres que hablemos de la investigación…

—No suelo ser yo el que tiene problemas para hablar. —Knutas bebió un trago de vino y la miró inquisitivo—. He notado que hay algo que te ha preocupado durante todo el invierno; mejor dicho, en realidad desde el verano pasado. ¿No puedes decirme qué sucede?

Karin guardó silencio un momento. Tomó varios sorbos de vino antes de responder:

—Hay ciertas cosas que no deseo compartir contigo, Anders. Independientemente de que seamos buenos amigos. Creía que lo habías entendido hace tiempo.

—Por supuesto, respeto que no quieras hablar de todo. Pero podrías decirme algo, ya que influye en el trabajo.

Los ojos marrones de Karin relampaguearon.

—¿Intentas decirme que no hago bien mi trabajo?

—Por favor, Karin, claro que no. Eres una policía estupenda y siempre haces un buen trabajo. Pero en los últimos seis meses no has sido la de siempre, y me refiero a tu humor, no a tu trabajo.

—De acuerdo, de acuerdo.

Dio otro trago. Knutas rellenó las copas. En la mirada de ella asomó un destello de preocupación.

—El verano pasado, durante la investigación del asesinato, sucedieron cosas que despertaron viejos recuerdos. Recuerdos que prefiero olvidar.

—¿Qué?

Knutas se puso tenso, se preparó para escuchar a Karin. Sabía que estaba a punto de contarle algo importante. Ella suspiró con fuerza. Los ojos se le llenaron de lágrimas. Se la veía tan pequeña y vulnerable que Knutas deseó abrazarla.

—Lo cierto es que he querido hablar de esto contigo desde hace tiempo. He estado a punto de hacerlo varias veces. El problema es que si lo cuento arriesgo mi carrera policial y te pongo en una situación muy delicada. Quería ahorrártelo.

—¿Y?

—Aunque en realidad no hay alternativa, no importan las consecuencias. En lo más profundo de mi ser lo he sabido desde el principio. ¿Recuerdas a Vera Petrov, que estaba embarazada?

—Sí.

—Cuando estuvimos buscándola en el barco, yo tenía que registrar los camarotes de cubierta. Al regresar, dije que no la había encontrado. Mentí.

Knutas miró a Karin sorprendido.

—Estaba con su marido en uno de los camarotes. Abrí la puerta apuntando al interior con el arma. A él lo reconocí de inmediato, lo había visto en el barco a Gotska Sandön. Sabía que ella estaba embarazada. Cuando abrí la puerta, se encontraba a punto de parir. Me vi obligada a ayudarla con el bebé. Estaba saliendo, literalmente. Tuve que hacer de comadrona durante el parto y todo acabó bien. Dio a luz una niña. Fue una experiencia muy fuerte. Verlos a ellos dos y al bebé. Su alegría total, a pesar de la situación desesperada en la que se encontraban. Como si nada más importara en ese momento.

El espanto de Knutas iba en aumento a medida que escuchaba. Vera Petrov asesinó a sangre fría a dos personas. Su compañera más cercana había dejado escapar a una doble asesina. Le mintió. Con lo mucho que él había trabajado en el caso: recurrió a Interpol, siguió todas las escuchas, la persecución durante meses sin resultado. La doble asesina y su marido desaparecieron sin dejar rastro. Y allí estaba Karin, delirando sobre la alegría de la maternidad. Además de la traición a él mismo y a sus compañeros, la prevaricación cometida era tan grave que nunca más podría trabajar como policía. Acabaría en la cárcel, le caerían varios años. Pensó seriamente que Karin se había vuelto loca.

Sin notar la indignación de su jefe, prosiguió:

—Por supuesto, pensaba detenerlos y dar la alarma tan pronto como hubiera nacido el bebé. Pero algo sucedió durante el parto. Me vi sumergida en mi propia pena.

La expresión del rostro de Karin cambió por completo, se desnudó. Su bronceado primaveral palideció de pronto y en sus ojos apareció una seriedad que Knutas nunca antes había visto. Como si ella lo mirara de verdad por primera vez. Sin máscara.

—No sé si sabes que yo también tuve una hija hace tiempo. Entonces yo tenía quince años, así que han pasado veinticinco años.

Knutas observó estupefacto a su compañera.

—¿Quieres decir que eres madre de una chica que ahora tiene veinticinco años?

—Sí, así es. Pero no he vuelto a verla desde que nació.

El labio inferior de Karin comenzó a temblar y los ojos se le anegaron de nuevo en lágrimas.

—Ven, vámonos de aquí —dijo Knutas, y la ayudó a levantarse de la mesa.

La tomó por la cintura y Karin lloró apoyada en su hombro durante todo el trayecto hasta el hotel. La acompañó a la habitación. Abrió la puerta con la tarjeta. La sentó en la cama y le colocó unas almohadas como respaldo. Fue a buscar papel al baño para que ella se pudiera sonarse, le sirvió un vaso de agua.

—¿Me puedes dar un cigarrillo?

—Sí, claro.

Era una habitación de no fumador, pero qué importaba.

Karin lo encendió con manos temblorosas. Knutas cogió la única silla que había en el cuarto y la situó junto a la cama. El maldito vino se le había subido a la cabeza. Intentó tranquilizarse. Nunca antes había visto tan débil a Karin. La luz de la habitación era tenue, el rostro de ella estaba en sombra. De repente le resultó una extraña y se preguntó si realmente la conocía. Quizá su relación tan cercana fuera una ilusión. Permaneció sentado en silencio, a la expectativa, con las manos apoyadas sobre las rodillas. Le sudaban ligeramente, pero no prestó atención a ese detalle, sino que las mantuvo bien apretadas, como si buscaran apoyo entre ellas ante lo que se avecinaba. Cuando Karin por fin abrió la boca, le temblaba la voz.

—Me violaron cuando acababa de cumplir quince años. Había salido a montar a caballo por el bosque. El caballo se cayó y se torció una pata. Tuve que guiarlo de vuelta a casa. La granja del profesor de equitación se hallaba de camino. Entré para que me dejaran llamar por teléfono. Él estaba casado y tenía hijos pero cuando llegué se encontraba solo. Metimos el caballo en el establo y le acompañé al interior de la casa. En lugar de dejarme

222

llamar, me violó allí, en el salón. Recuerdo que yo miraba fijamente la gran fotografía de la familia que había sobre el sofá mientras él me penetraba. Me hizo un daño horrible.

Karin volvió el rostro hacia el techo y las lágrimas siguieron resbalando por sus pálidas mejillas. Su piel era fina, casi transparente. Knutas sintió una incómoda sensación de malestar. Se defendía contra las imágenes que asaltaban su mente y le herían.

Ella respiró hondo antes de proseguir:

–Cuando acabó, dijo que lo lamentaría si se lo contaba a alguien. Luego pude telefonear. Estaba conmocionada, todo era tan irreal… Solo le pedí a mi padre que viniera a buscarme. Estaba avergonzada, me sentía sucia. Ya sabes, la vieja historia. Regresé a casa, me ocupé del caballo, me duché. Cenamos, me fui a la cama temprano. Solo deseaba dormir. Cuando me desperté por la mañana fue como si nada hubiera ocurrido. Intenté reprimir el recuerdo, negar la realidad a mí y a los demás. Si me esforzaba en pensar que se trataba de una pesadilla, casi conseguía hacerlo desaparecer. Esa fue la razón de que no dijera nada, ni a mis padres ni a nadie más. Apenas unos días después me lo encontré en Correos. Esbozó una sonrisa y me saludó como si nada hubiera pasado. Las piernas me fallaron y estuve a punto de desmayarme. Estaba muerta de miedo. Deseaba morirme. Montar a caballo dejó de gustarme; mis padres no comprendieron nada. Me sentía mal en el colegio, me convertí en una chica solitaria. Comencé a faltar a clase, alegaba dolor de tripa o cualquier cosa.

La voz de Karin se apagó y Knutas intentó digerir la increíble historia. Así que ese era el secreto que Karin había guardado durante años. Él había sospechado la existencia de una pena, pero no que fuera de semejante calibre.

La observó a escondidas mientras estaba sentada en la cama, pequeña como una niña. Knutas se sintió culpable por encontrarse en aquel lugar, escuchando, invadiendo su intimidad. Ella no lo miraba, tenía la vista fija en un punto invisible de la pared.

De vez en cuando, llegaba el ruido de la calle, pero no le prestaban atención. Lo único importante se hallaba en la habitación: las palabras de Karin, las palabras que él había esperado durante hacía tantos años, sin saberlo. Ella encendió otro cigarrillo.

—Luego ocurrió lo que no debía haber ocurrido. No me llegó el período, los pechos me dolían y empecé a sentirme mal por las mañanas. Seguí negándolo. Continué como de costumbre, fingiendo que no pasaba nada. El malestar matinal desapareció; en cambio, los vaqueros me comenzaron a apretar. Después de un tiempo no pude ocultarlo más. Una mañana mamá me miró extrañada cuando entré en la cocina en camisón. Recuerdo que estaba junto a la nevera e iba a coger algo. Ella se encontraba junto al fogón y noté cómo me miraba la barriga, luego posó la mano allí, rápida como un rayo. Nunca olvidaré su tono de voz, frío como el hielo, y lleno de desprecio, cubierto de culpa, hasta de odio. «¿Estás embarazada?» Me sentí presa del pánico. Me lo había negado con tanta fuerza, durante tanto tiempo... Lo negué, pero ella mantuvo que no había duda alguna. Me levantó el camisón porque deseaba ver los pechos. «Te han crecido varias tallas. ¡Y la barriga!»

»Rompí a llorar desconsoladamente y me abrumó a preguntas. Papá entró en la cocina y se quedó pegado al umbral de la puerta. Me observó aterrorizado, como si fuera un monstruo. Entonces les hablé de la violación. Lo que había ocurrido y cómo sucedió todo. Al mismo tiempo que lo contaba, me sentía avergonzada. ¡Qué locura! Como si hubiera hecho algo malo. Cuando acabé el relato, me quedé sentada ahí llorando, y reinó el silencio. La cocina parecía una campana de vidrio en la que nadie dijo nada. Nadie me consoló. Ninguno de los dos. Mamá me dejó allí en la cocina. Y papá la siguió.

Karin guardó silencio. Knutas le acarició el brazo.

—¿Y después? —preguntó, con tacto—. ¿Qué pasó después?

Karin se sonó con fuerza y bebió el vaso de agua de un trago.

—Bueno, después, no quisieron denunciarlo —respondió con amargura—, rehusaron hablar de ello siquiera. Mamá se ocupó de las cosas prácticas. Decidieron que tan pronto como tuviera el bebé lo donaría en adopción. Yo estaba de acuerdo, solo deseaba deshacerme de él para poder seguir con mi vida. Continuar con el colegio, seguir siendo joven. Que la vida prosiguiera como siempre, como era antes de que ocurriese todo. No pensé en el bebé como un niño, solo lo veía como algo malo que tenía que desaparecer. Me dio tiempo a terminar el último curso, aunque saqué malas notas. Di a luz a mi hija a principios de otoño, un veintidós de septiembre.

Comenzó a llorar de nuevo, pero continuó con su relato.

—Una niña. En la sala de partos, la tuve durante un rato sobre el pecho. Sentí su calor y cómo su corazón latía junto al mío. Parecía un pajarito. En ese instante me arrepentí. Deseé quedármela. En mi fuero interno la bauticé como Lydia. De pronto me la arrebataron, alguien la cogió y nunca más he vuelto a verla.

La voz de Karin se apagó, y se hundió entre las almohadas como si le abandonaran las fuerzas.

—Pero te habías arrepentido…

—¿Qué podía hacer? Nada. Mis padres dijeron que era demasiado tarde, que los papeles estaban firmados, pero luego supe que eso no era cierto. Me mintieron.

Karin se apoyó contra la pared y cerró los ojos.

—Nunca se lo había contado a nadie —añadió, con voz apagada—. Tú eres el único que lo sabe.

Knutas encendió la pipa. Una espesa capa de humo invadió la pequeña habitación. Estaba afectado y abatido por la historia de su compañera. La indignación inicial que sintió cuando ella reconoció que dejó que Vera Petrov y Stefan Norrström se escaparan, de momento, se había mitigado. Ahora sufría junto a Karin y estaba consternado por lo que ella había pasado. Había vivido en la ignorancia durante todos los años que llevaban trabajando juntos. Bajó la vista hacia su tierno rostro. Ella permanecía tumbada con los ojos cerrados. Experimentó un enorme cansancio. Se inclinó y la besó con ternura en la frente. La cubrió con la colcha, apagó la lámpara y salió de la habitación.

Knutas se pasó la noche dando vueltas en la estrecha cama sin conseguir conciliar el sueño. La habitación era angosta y estaba mal ventilada. Una gruesa cortina de un triste color marrón colgaba de la ventana, un ventilador zumbaba en alguna parte. Se oía con claridad el rumor del tráfico, interrumpido de vez en cuando por las sirenas de la Policía o de una ambulancia, y alguna que otra voz y risas de peatones. No comprendía cómo lo aguantaban los habitantes de Estocolmo. La ciudad nunca quedaba en silencio. Se volvería loco si lo obligaran a vivir allí.

Pensar en Karin lo mantuvo despierto. Se arrepentía de haber sido tan insistente. ¿Hasta dónde puede llegar la fuerza de la amistad? Ella lo había puesto contra las cuerdas. Era inaceptable que hubiera dejado escapar deliberadamente a la autora de un doble asesinato, a pesar de que probablemente Vera Petrov nunca volvería a matar y que cualquier persona razonable entendería sus motivos y el hecho de que detrás se ocultara una historia tan trágica y desgarradora. Tenía que comunicárselo a sus superiores. Karin no podía seguir trabajando como policía. Su compañera desde hacía veinte años tendría que irse. Ese pensamiento era tan aterrador que sintió escalofríos. Ir a trabajar cada día sin ella. No verla junto a la máquina de café o durante las reuniones matinales. No oír su risa, ni ver sus incisivos separados. Karin era su mejor interlocutora tanto a nivel laboral como privado. No podía imaginarse siquiera cómo sería trabajar sin ella. De vez en cuando había temido que se marchara. Por lo que Knutas sabía, aún estaba soltera, lo que a sus ojos resultaba sorprendente. Era tan guapa con su cabello negro, sus ojos cálidos... Quizá encontrara a alguien que se la llevara de Visby y de su lado. Karin era tan intensa, estaba tan llena de vida… A veces intentaba imaginarse qué pensaba ella de él, qué le aportaba. Él era un hombre de mediana edad, normal, con sus deplorables problemas personales que aireaba con facilidad; desde luego, lo más seguro es que no le resultara especialmente interesante.

Al pensar en lo que ella había vivido, la violación, el parto, la traición de sus padres, creció la ira en su interior. Al final se levantó, buscó su pipa y se sentó en el único sillón de la habitación, junto a la ventana. Descorrió la cortina y la abrió. Eran las cuatro de la madrugada. Comprendió que no podría dormir.

Encendió la pipa, se quedó sentado hasta el amanecer y observó el despertar de la ciudad tras la ventana.

El patio está repleto de niños que juegan. Impermeables amarillos, azules, rojos, verdes y rosas forman un colorido ramo sobre el asfalto negro y los edificios grises de alrededor. Ha dejado de llover pero el ambiente rezuma humedad. El viento frío mantiene las bajas temperaturas. Una profunda borrasca ha pasado por Gotland y la temperatura ha descendido de veinte grados a nueve. El tiempo no preocupa a los niños que corretean por el jardín de la guardería. Las maestras conversan en grupo mientras los vigilan. La charla se interrumpe constantemente debido a que algún crío se ha caído y empieza a llorar, otro se ha metido algo peligroso en la boca o porque algunos se pelean. Los más pequeños, que apenas empiezan a andar, permanecen sentados con sus cubos y palas en el cajón de arena, donde cavan felices en la tierra mojada.

Tardo un minuto en distinguirlo. Viste un impermeable azul oscuro, pantalones de hule y un sombrero de lluvia a juego. Se entretiene con un cubo amarillo chillón y una pala. Está sentado junto a un compañero y parece desenvolverse con soltura.

Se me encoge el corazón, me cuesta respirar y me pongo en cuclillas. Me oculto detrás de un almacén, no deseo llamar la atención.

Mi hijo. Su pelo negro sobresale por debajo del gorro, las rojas mejillas brillan y puedo imaginarme sus ojos oscuros. Un niño puro. ¿Qué futuro le espera? ¿Cómo le influirá lo que va a ocurrir? ¿Qué pensará cuando crezca? ¿Cuánta curiosidad sentirá? ¿Será obediente? La pequeña figura juega allí sentada con despreocupación en la arena. Un niño inocente y puro tiene derecho a una infancia segura. Cualquier otra opinión es condenable, y ahora me dispongo a eludir mi responsabilidad.

No hay salida en mi camisa de fuerza, ninguna. Mamá continuará atormentándome toda la vida, nunca seré libre. Otras personas mueren de cáncer o en accidentes de tráfico. Lo más seguro es que ella viva hasta cumplir los cien años infestando las vidas de los que la rodean. Entonces yo tendré casi ochenta años.

Una vez soñé que hojeaba un periódico y llegaba a la sección de obituarios. Veía su nombre. Sentía un gran alivio.

Me pongo en pie, poso la vista en mi hijo por última vez antes de regresar.

Después me alejo de allí a paso vivo.

Cuando Knutas bajó a desayunar, Karin ya estaba allí, sentada junto a una ventana frente a una taza de café y el periódico. Tenía ojeras y arrugas en la frente. Vestía sus vaqueros de costumbre y una camiseta. Lucía en la muñeca una pulsera de cuero con una piedra verde. Bajo la mesa asomaban unas zapatillas de deporte lila. Leía ensimismada un artículo del periódico y no advirtió que cuando él entró, se detuvo a contemplarla. Aquella figura junto a la ventana le enterneció. Sintió unos ligeros pinchazos en brazos y piernas que aumentaban de intensidad. Se le nubló la mirada durante unos segundos y se vio obligado a apoyarse en el quicio de la puerta. No logró pegar ojo, el cuerpo le dolía de puro cansancio. Al abandonar la habitación, había tomado una decisión. No podía hacer otra cosa: le pediría a Karin que dimitiese, que abandonara el cargo. Avanzó unos pasos, unos diez metros lo separaban de la mesa. Siguió como un sonámbulo, con la mirada fija en su rostro. De repente ella notó que se aproximaba y alzó la vista hacia él. Sus miradas se encontraron.

No, pensó. No puedo decidirlo ahora. Tengo que pensarlo más.

—Buenos días —saludó el comisario.

—Buenos días.

—Oye, no quiero que hablemos de lo de ayer. Necesito tiempo para meditarlo.

—De acuerdo. Pero quiero que sepas que cuando volvamos a casa presentaré mi dimisión. No deseo darte problemas, Anders.

De pronto sus palabras le causaron pánico. No era la primera vez que lo proponía, y él no deseaba por nada del mundo volver a pasar por lo mismo.

—Espera, no te precipites, por Dios. ¡Qué diablos! No puedes responsabilizarte de mi bienestar. Decida lo que decida, será mi decisión. Deja que yo me ocupe de esto, por favor —le rogó, y se percató de lo insistente que sonaba—. Tú ya has cargado sola con bastante. Por el momento, intenta olvidarlo todo.

Esbozó una sonrisa amarga.

Recogieron el coche alquilado en el garaje Katarina, a un tiro de piedra del hotel. Fingieron normalidad, para evitar que asomara lo que ambos pensaban, y se concentraron en las tareas del día. Sus problemas personales tendrían que esperar hasta más adelante.

A Knutas le sorprendió lo fácil que resultó circular a través de la ciudad. Al principio, condujeron junto al mar, pasaron Skeppsbron y Strandvägen, y el edificio de radio y televisión en Oxenstiernsgatan. Luego continuaron por Valhallavägen, una de las avenidas construida a imitación de los bulevares franceses, ancha y con un paseo central. Acabaron en Roslagstull y luego solo había que continuar por Norrtäljevägen. Podrían haber elegido un atajo por el interior de la ciudad, pero las vistas eran fascinantes. El agua relucía entre las islas, y vieron los magníficos edificios de Estocolmo, como el Palacio Real, el Nationalmuseum, el Dramaten y el Nordiskamuseet, en Djurgården, que recordaba un palacio renacentista con sus torres y almenas.

La curiosidad que Knutas sentía por Mikaela Hammar creció durante la investigación. Ella se había creado una vida nueva fuera de Gotland. Estaba casada con un peninsular, se mudó al archipiélago de Estocolmo y fundó una escuela de equitación, que dirigía junto a su marido. Además, trabajaba para una organización de ayuda humanitaria.

Les quedaba un buen trecho para llegar. Knutas consultó la hora cuando pasaron Norrtälje. Eran las once pasadas y aún faltaban unos diez kilómetros. El avión de vuelta a casa despegaba a las tres y media. Tenían tiempo de sobra.

Cuando cruzaron el puente de Vätö recordó la diferencia entre el archipiélago y Gotland. El paisaje era totalmente distinto. En lugar de largas playas de arena, había rocas, islotes y escollos. Vätö era una de las mayores islas del archipiélago de Estocolmo. En ella vivían unas mil personas; había tiendas, oficina de Correos, biblioteca y escuela. Muchos de los habitantes de la isla trabajaban en Estocolmo o en Norrtälje. Mikaela Hammar vivía con su familia en Harg, en el centro de la isla. Una verja grande y vieja situada en una curva los condujo al interior de una dehesa. El coche avanzó dando botes por el estrecho sendero hasta que la granja apareció detrás de una colina. Se alzaba majestuosa y solitaria sobre una meseta, flanqueada por unos peñascos y con amplias vistas sobre el campo.

Unos ponis noruegos trotaron hacia ellos cuando se apearon del coche.

Knutas sentía mucho respeto por los caballos y se apresuró hacia la verja. La granja se componía de un edificio central de color rojo oscuro con dos alas. Más allá se encontraban el establo y un *paddock*. En la parte trasera había una pista de carreras. La puerta principal se abrió y una rolliza mujer bronceada de unos treinta y cinco años salió con una bandeja de café en las manos. Les sonrió y luego los saludó con amabilidad.

—Había pensado que podíamos sentarnos aquí fuera. Hace muy buen tiempo.

Se dirigió hacia una mesa que se hallaba a un lado de la casa con vista a los peñascos. Florecían prímulas y lirios de los valles. Parecía verano.

—Le agradezco que haya podido recibirnos justo después de regresar de viaje —comenzó Knutas.

—No se preocupe. Comprendo que es importante.

Atisbaron un asomo de pena en su voz.

—Ya conoce lo sucedido. Por lo visto, quisieron matar a su madre y después intentaron que muriera en un incendio. Aún no estamos del todo seguros de que lo ocurrido en el palacio de congresos fuera un acto dirigido contra ella, pero eso es lo que su madre asegura y, por otra parte, un testigo nos ha confirmado la historia. ¿Usted qué opina?

—Si le soy sincera, no me extraña que alguien quiera matar a mi madre.

—¿Por qué?

—He roto mi relación con ella por una razón. Mi madre destruye a las personas que la rodean.

—¿De veras?

Mikaela Hammar suspiró. Knutas notó que no se parecía en nada a su madre. Era alta y bastante robusta, tenía una larga melena rubia y ondulada y ojos azul claro. En realidad, no había nada en ella que recordara a Veronika Hammar.

—Crecí con una madre tan egocéntrica que no nos veía ni a mí ni a mis hermanos. Si me atengo a mis propias experiencias, viví una infancia de invisibilidad, falta de respeto y ultrajes diarios, de esconder los problemas debajo de la alfombra, de martirio: una vida de falsedades, entre bastidores. Sufrí largas depresiones que se agravaron durante la adolescencia, empecé a autolesionarme y a tener desórdenes alimentarios. Comía como una histérica y vomitaba. Pasaron cinco años antes de que mi madre se diera cuenta.

—¿Qué edad tenía? —preguntó Karin.

—Quince años, y estuve así hasta que me mudé de casa. Entonces, gracias a Dios, conocí a mi marido. Fue mi salvación; sin él, hoy no estaría viva.

Relató su historia en tono imparcial, sin el menor asomo de autocompasión.

—¿Qué desencadenó estos problemas?

—Creo que fue el hecho de haberme sentido mal e invisible durante tanto tiempo. Me hacía heridas en los brazos por dos razones. Por una parte, la angustia remitía y por otra, en lo más profundo de mi ser deseaba que alguien me viera, que se fijase en mí, y descubrieran cómo era nuestra realidad. Pero nadie lo hizo.

—¿Qué ocurrió cuando conoció a su marido?

—Intimamos un verano. Él estaba de vacaciones en Gotland como un turista más. Mamá lo criticó cuanto pudo: su apariencia, que no tenía un buen trabajo, que vivía en Estocolmo. Se quejó de todo lo relacionado con él. Pero no le hice caso. Y le doy gracias a Dios. Por primera vez en mi vida sentí lo que es que te quieran de verdad y fue algo maravilloso. Encontré alguien que me quería como era, dejaba que me expresara y tuviese mis propias ideas. Me hizo crecer como persona y creer en el amor. Me mostró que el amor de verdad existe y puede ser duradero. Le estoy eternamente agradecida por eso. Él me sanó.

Mikaela Hammar pronunciaba las palabras con tal sinceridad y entusiasmo que Karin y Knutas se emocionaron.

—¿Desde cuándo no ve a su madre?

—La última vez que hablamos fue hace diez años.

—¿Qué pasó entonces?

—Llegué al límite. Fui a visitarla con los niños a la casa de verano. Íbamos a pasar un par de días, era lo máximo que yo aguantaba. Linus tenía cuatro años y Doris, dos. Una tarde le pedí que los vigilara mientras yo salía a comprar. No tardaría más de un par de horas. Sí, ningún problema. Mamá nunca había cuidado a los peques, pero pensé que no podía pasar nada en tan poco tiempo. Además, resulta mucho más fácil ir de compras sin niños pequeños. Cuando me marché, Linus jugaba con sus coches de plástico en el césped y Doris dormía en el cochecito. Al regresar, ambos estaban berreando, Doris sangraba por la mejilla, los vecinos daban voces en el jardín, todo era un caos. Por lo visto, Linus había ido a la letrina, que se encontraba al fondo del jardín, y mamá tenía que ir a limpiarlo cuando acabara, pero se olvidó de él. Se quedó allí sentado más de una hora llorando mientras ella hablaba por teléfono dentro de la casa. Mientras tanto, Doris entró en el jardín de los vecinos y su perro la mordió en la cara. Esa fue la gota que colmó el vaso de tantos años de tragarme su maldito egoísmo. La puse de vuelta y media, recogí mis cosas y a los niños y me largué.

—Y después, ¿intentó ponerse en contacto con usted?

—Según mis hermanos, ella creía que me había portado muy mal, por supuesto; «eso no se le hace a una madre», la misma historia de siempre. No me preocupé de llamarla; pasó un mes y empezó a enviarme cartas. Largas peroratas en las que se mostraba ofendida y describía todo lo que había hecho siempre por mí y lo agradecida que debería estarle. Leí la primera, el resto las tiré. Me había agobiado tanto que romper con ella fue una liberación. Es lo mejor que he hecho en mi vida. Aunque suene cruel, ha sido el mejor regalo tanto para mí como para mi marido y mis hijos.

A pesar de que la voz de Mikaela Hammar sonaba segura, su mano temblaba al alzar la taza. Se hizo un silencio alrededor de la mesa. Knutas vio con claridad la escena y le dio un sorbo a la taza de café.

—Teniendo en cuenta que no se ven desde hace tiempo, imagino que no podrá decir gran cosa sobre la amenaza que planea sobre su madre. Si es que hay alguna, claro.

—En realidad, creo que cualquiera de nosotros podría llegar tan lejos como para matarla. Nos ha pisoteado tanto, nos ha usado y ha abusado de nosotros. Además, nos ha ocultado cosas. ¿Alguno de mis hermanos les ha hablado de Mats?

No había puesto un pie en la calle desde que salió del hospital hacía una semana. Se levantaba cada mañana, desayunaba, leía el periódico y escuchaba la radio local. Esperaba la hora del almuerzo. Entonces comía una sopa sencilla o una ensalada. A las dos tomaba un café y cenaba viendo las noticias. El resto de las horas transcurría lentamente. No encontraba nada que hacer, ni energía para limpiar, pintar u ocuparse de su pequeño jardín, que solía cuidar en esa época del año. Estaba en punto muerto. No sabía qué esperaba. Los días se sucedían y echaba de menos la casita que se quemó. De pronto asumió que la había perdido y sollozó durante horas. Tendida en la cama como una niña, le temblaba todo el cuerpo. La ansiedad se apoderó de ella, pero nadie acudió a rescatarla. Viktor ya no existía, ninguno de sus hijos respondía al teléfono. Se encontraba completamente sola.

Durante estos últimos meses se había acostumbrado a no poder hablar con Simon. ¿Pero Andreas? Había cambiado, hablaba en un tono más duro y se mostraba menos complaciente. No lo veía tan dispuesto como antes, quizá se debiera a que había conocido a alguien. La casa estaba llena de rastros evidentes. Encontró un lápiz de ojos en el baño y una goma de pelo en la mesa del recibidor. De repente había yogur natural en la nevera. Y no descolgaba el teléfono cuando ella llamaba.

Por la mañana experimentó una inquietud mayor que de costumbre. Se levantó y realizó sus quehaceres habituales, pero sintió una comezón de intranquilidad en el cuerpo. Deambuló por la pequeña casa, se sentó en el jardín e intentó leer el periódico sin conseguir relajarse. Se lavó el pelo, aunque apenas consiguió alejar la desazón un momento. Intentó resolver un crucigrama, pero no era capaz de concentrarse. Tenía la mente desordenada. Cuando fue a preparar el café de la tarde, descubrió aterrada que solo quedaba una pizca en el fondo del bote. No tendría más remedio que salir. Retrocedió al encontrarse con su imagen reflejada en el espejo. Tenía que arreglarse, no podía salir a la calle así.

Tardó una hora en prepararse. Eligió un elegante traje pantalón blanco que quizá fuera algo exagerado para un paseo hasta Ica, pero ¡qué importaba! Se aplicó escrupulosamente el maquillaje y se cardó el pelo, que le había crecido demasiado, con lo que se le veían las raíces, debería ir a teñirse y cortarse las puntas.

Cuando por fin contempló su imagen en el espejo antes de salir de casa se sintió satisfecha. Casi se parecía a su antiguo yo.

Nada más salir a la calle, la opresión en el pecho se hizo patente. Miró con sigilo en ambas direcciones. No se veía a nadie. Tampoco había ningún coche de Policía. Habían interrumpido la vigilancia, el jefe de Policía le explicó que no contaban con recursos. No había recursos. Era aterrador. Habían asesinado a Viktor y a ella la habían intentado matar. ¿De verdad había pasado la amenaza? Por otro lado, no podía permanecer el resto de la vida encerrada. La situación era incomprensible y espantosa. No tenía la más remota idea de quién podría desearle algún mal a ella, que nunca le había hecho daño a una mosca. Se pasó la vida entera ayudando a los demás y echando una mano a sus semejantes: a los niños, a sus hermanas, a los compañeros de trabajo, vecinos, amigos y conocidos. ¡Qué desagradecido es el mundo! ¡Qué amarga experiencia! ¿Quién podría querer matarla? Solo podía pensar en una persona y esa era la exmujer de Viktor, Elisabeth Algård. ¿Quién si no? Se había vuelto completamente loca cuando él le dijo que quería divorciarse, y más tarde le contó que, además, estaba enferma de celos.

Le resultaba incomprensible que la Policía aún no la hubiera detenido. Esperaba que la tuvieran vigilada, lo más seguro es que se tratara de una cuestión de tiempo. Quizá en este momento se estuvieran ocupando de ello. Ese pensamiento la fortaleció y caminó por la desierta calle abajo. De momento no había demasiada gente en Visby, pero dentro de poco los turistas invadirían la ciudad. No podría ir a la casita en verano, pero seguro que la reconstruirían. Durante el verano tendría que conformarse con vivir con Andreas, por lo menos la granja se encontraba en el campo, aunque algo alejada del mar.

¿Y si iba a tomar un café a Rosengården antes de ir a comprar? Era su cafetería favorita y hacía un par de semanas que no iba por allí. Además, tenía unas ganas enormes de tomar un café. Allí hacían el mejor expreso. Pasó por la puerta y sin pensarlo dos veces entró. La amable camarera le sonrió. ¡Qué alegría verla! ¿Cómo está? Bien, gracias. Pidió un café y un trozo de pastel de zanahoria. En la terraza no había mucha gente. Un par de mesas estaban ocupadas; Veronika evitó mirar a las personas que allí se congregaban.

Eligió su mesa favorita al fondo del jardín. Se encontraba situada en un pequeño cenador de lilas en flor. Desde allí tenía una buena vista del Botánico y su esplendor floral. Era un oasis, uno de los pocos lugares en donde podía relajarse, aun estando sola.

Al cabo de un rato apareció la camarera. Clin, clin. Gracias. El café tenía un sabor intenso y sintió que recuperaba la energía. Todo volvería a estar bien. No se iba a rendir. Los pájaros trinaban y las conversaciones en voz baja de las otras mesas tuvieron un efecto tranquilizador. El pastel de zanahoria era una porción grande y parecía suculento. Cuando se llevaba el tenedor a la boca, entró un hombre. Creyó conocerlo.

Aunque no supo de dónde.

El café se encontraba a las afueras de Visby, y daba al Jardín Botánico. El sol resplandecía, era una tarde cálida. Emma deseaba sentarse en algún lugar para poder pensar en paz. Tenía que ser en el exterior, porque le apetecía fumar mientras tanto. Su consumo de tabaco había sido irregular durante los últimos años. Lo dejó durante los embarazos y la lactancia de Sara y Filip, pero luego volvió a empezar. Lo mismo sucedió con Elin. Tan pronto como terminó de darle el pecho retomó el hábito, a pesar de haber conseguido controlar el vicio. A muchos de sus amigos y conocidos no les cuadraba que Emma fuera una fumadora de tal calibre. Entrenaba varias veces a la semana, trabajaba como maestra en un parvulario, le gustaba el campo y la consideraban una verdadera amante de la naturaleza. Emma no podía explicar por qué fumaba. Ahora quería pensar, con lo que el cigarrillo se convertía en una necesidad.

Accedió al jardín del café a través de la entrada en la muralla. Una docena de mesas se repartían por el césped, entre manzanos en flor y lilas. Si alguien buscaba sombra y tranquilidad, allí las encontraría. Había tres mesas ocupadas; en una de ellas, un hombre de avanzada edad resolvía el crucigrama del periódico en compañía de una taza de café y un *franchipán*. En otra, dos chicas adolescentes compartían confidencias en voz baja, acompañadas por sendas tazas de café con leche. Por último, un hombre joven tomaba una ensalada y leía un libro cuyo título no logró leer. Fue el único que alzó la mirada cuando ella se dirigió a la chica que había tras la barra. Pidió un doble *macchiato* y su pastel favorito: un biscote italiano de almendra bañado en chocolate.

Eligió una mesa al fondo del jardín, donde podría meditar. El sol calentaba, se quitó la chaqueta y la colgó en el respaldo de la silla de al lado, probó el café y encendió un cigarrillo. No debería ser un problema al comienzo del embarazo. Además, no estaba segura de querer tener el bebé. Johan no podía saber nada aún. ¿Qué implicaría otro hijo más? Sintió pánico cuando esa misma mañana comprobó el resultado del test. Para colmo de males, Olle llamó a la puerta medio minuto después. Era su turno de quedarse con los niños. Tiró la prueba a la papelera, la cubrió con papel higiénico, se lavó la cara con agua fría y abrió la puerta. Consiguió tranquilizarse lo suficiente para despedir a Sara y Filip con los besos habituales y la advertencia de que llamaran antes de acostarse para darles las buenas noches. El resultado la conmocionó. Tenía que salir de casa, estar sola y pensar en la situación inesperada en que de pronto se hallaba. Como de costumbre, su amiga Viveka se ofreció a ocuparse de Elin unas horas. Ni siquiera fue capaz de contarle su situación. Era demasiado pronto.

Condujo de camino a la ciudad con la mente llena de pensamientos contradictorios. Se sentía mal al imaginar otro embarazo, otro niño. Pero al momento siguiente se avergonzaba de sí misma. ¿Una noticia así no debería alegrarla? Estaba casada, tenía treinta y ocho años, un buen trabajo y un marido maravilloso que la amaba. Reunían todos los requisitos para cuidar de otro hijo y probablemente Johan estallaría de alegría.

Aparcó desconsolada en Stora torget, compró un paquete de tabaco y el periódico vespertino en Ica y se encaminó hacia el Jardín Botánico.

Se encontraba sentada a la sombra de un manzano con el periódico abierto para dar la impresión de estar leyendo. Volvió a enfadarse. ¿Cómo podía haber sido tan torpe? La píldora le sentaba mal y el diafragma no funcionaba, así que utilizaban preservativos, pero alguna vez se habían descuidado y habían recurrido al coitus interruptus. Una imprudencia, teniendo en cuenta su facilidad para quedarse embarazada. Había sido una ingenua al creer que los años habían hecho mella: ya tenía casi cuarenta.

Se acarició el vientre. Una nueva vida estaba echando raíces allí dentro. ¿Qué podía hacer? Sintió que estaba a punto de llorar y se avergonzó aún más. Era una persona adulta.

Al parecer, las chicas ya habían acabado su cháchara, pues se pusieron en pie y se marcharon. Al poco rato las siguió el lector. Quedó el ensimismado hombre del crucigrama, que escribía de vez en cuando una palabra con mano temblorosa mientras saboreaba su café. Agradecía que apenas hubiera gente. No existían muchos sitios públicos en los que se pudiera estar tranquila. En su calidad de maestra, conocía a gente en todas partes, en cualquier lugar acababa encontrando a padres o alumnos.

Una mujer elegante entró en el café, se detuvo un instante y miró alrededor. Rondaría los sesenta años, era baja de estatura y delgada, y vestía un traje pantalón blanco. Llevaba el cabello rubio cortado al estilo paje y los labios pintados de rojo. Su figura desprendía cierto *glamour* y Emma supuso que sería un personaje conocido.

Eligió una mesa apartada y medio oculta tras un cenador de lilas al fondo del jardín. Emma perdió el interés por la recién llegada y hojeó distraída el periódico.

Al cabo de un rato alguien vino a hacer compañía a la señora. Un hombre que parecía de la misma edad que Emma se dirigió con paso seguro hacia la mesa del cenador. Era alto, rubio y corpulento, vestía vaqueros y camisa. Tenía barba y lucía unas gafas de sol oscuras. Su semblante parecía forzado y algo incómodo. Durante un momento, Emma se olvidó de sus propios problemas y observó a la pareja mientras simulaba leer el periódico. Algo despertó su curiosidad; tuvo la sensación de que no estaban allí solo para beber café y relajarse tranquilamente un rato. Los envolvía una atmósfera incómoda. A pesar de la clara diferencia de edad, quizá fuera una pareja que acababa de pelearse.

El hombre del crucigrama terminó su café, se puso en pie con esfuerzo y abandonó el local. La extraña pareja y ella eran los únicos clientes. Apenas veía el perfil del hombre y este le ocultaba por completo a la mujer. Se inclinó hacia delante y habló en voz baja con ella. Resultaba evidente que trataban un asunto importante. No fue capaz de distinguir las palabras, pero percibió el ansia en la voz del hombre. Quizá la mujer deseaba finalizar la relación y él intentaba convencerla de que no lo hiciera. O tal vez era él quien rompía, lo cual daba pie a la larga explicación de las causas, deseando que ella comprendiera. La mujer apenas hablaba. Emma perdió el interés y volvió a enfrascarse en sus pensamientos. De pronto la mujer se puso en pie, se dirigió hacia la camarera y probablemente preguntara por el aseo, pues le tendieron una llave. El hombre permaneció sentado, pero apenas se le distinguía detrás del cenador de lilas. Debía de haberse movido, porque Emma ya no podía verlo. Sonó el móvil. Era Johan.

—Hola, cariño; ¿dónde estás?

—Estoy en la ciudad, haciendo unos recados.

—Ah, he llamado a casa y nadie respondía.

—Vaya.

—¿Cómo está Elin?

—Estaba tan cansada que se ha quedado con Viveka. Pensé que no le convenía salir, de manera que la dejé en su casa.

—¿Ah, sí?

El tono de Johan sonó desconcertado.

—¿Pasa algo? —quiso saber su marido.

—No, nada. Solo tenía que hacer unas cosas. De vez en cuando es agradable salir sola un rato.

—Lo entiendo. ¡Vaya nochecita! Pero pronto habrá pasado todo, cariño. Y por si te sirve de consuelo, te diré que Elin nunca volverá a tener tos ferina.

—Es verdad.

Emma pensó en el niño que llevaba en su interior. Las imágenes se sucedieron ante sus ojos. Nuevo parto, volver a dar el pecho, guardería, más pañales y nuevas enfermedades. Solo pensar en ello la llenó de pánico.

De pronto advirtió un tintineo que procedía de la mesa de la pareja. Pero no vio ni al hombre ni a la mujer. Después oyó un gimoteo y vio los aspavientos de un brazo descontrolado. El hombre abandonó la mesa. Las miradas de ambos se cruzaron cuando pasó a su lado.

La mujer también se puso en pie. Pero le sucedía algo extraño, parecía no encontrarse bien.

–Te tengo que dejar. Te llamo luego.

Mikaela Hammar se sirvió más agua y bebió un buen trago.

—Ninguno de los tres sabía que tuviéramos un hermanastro hasta que Mats se puso en contacto con nosotros. Mamá nunca nos contó nada de él. De pronto un día llamaron por teléfono. Se trataba de un hombre llamado Mats Andersson que dijo ser mi hermanastro. Quería conocerme, así que nos vimos en una cafetería de Norrtälje. No sabía si lo que me contaba era cierto. Claro es que, al mismo tiempo, tampoco tenía ninguna razón para dudarlo.

—¿Cuándo sucedió eso? —preguntó Knutas.

—En mayo hará dos años. Recuerdo que nos sentamos a tomar café fuera y hacía mucho calor. —Esbozó una sonrisa—. Fue una reunión bastante divertida. En cuanto lo vi comprendí que decía la verdad. Es asombroso el parecido que tiene con mi madre y mi hermano Simon. Los mismos ojos, la misma boca. Los tres tienen el rostro pequeño, idénticos pómulos marcados, las cejas negras y los labios rojos.

Mientras hablaba, mostraba en su rostro las zonas que refería.

—Por desgracia, yo no he heredado sus facciones. Además, me mostró la partida de nacimiento.

—¿Y quién era el padre? —se interesó Karin.

—Padre desconocido. Mats no sabe quién es y mamá se niega a decírselo.

—¿Y no se puso en contacto con ella?

Mikaela suspiró con amargura.

—Ha intentado verla en varias ocasiones, pero no quiere saber nada de él. Finge que no existe. La primera vez que lo rechazó, él apenas tenía trece años. ¿Pueden comprender que alguien sea capaz de hacer algo así? ¡Abandonar a su hijo y después hacer como si nada hubiera pasado!

Knutas dirigió una rápida mirada a Karin y posó la mano en su brazo.

—¿Te encuentras bien? ¿Quieres descansar un rato?

—No, estoy bien.

Mikaela los observó sin comprender, pero no dijo nada.

—¿Cómo ocurrió todo? —indagó Knutas.

—Mamá se quedó embarazada por primera vez cuando solo tenía quince años, mucho antes de conocer a mi padre. Se trató de una relación esporádica con un chico que luego desapareció. Tuvo a Mats en 1966. No deseaba hacerse cargo del niño, pero no lo entregó en adopción sino que dejó que viviera en un hogar de acogida. Mats tuvo bastante mala suerte y pasó por distintas familias, solo lograba quedarse en cada casa unos años y luego se veía obligado a mudarse. Eso hizo que nunca se haya atrevido a confiar en nadie, absolutamente en nadie. Es una persona solitaria y desarraigada. Peregrinó de casa en casa durante toda su adolescencia y ella nunca se preocupó por él.

—¿Por qué no lo entregó en adopción? —preguntó Karin, con un hilo de voz.

—Quién sabe. Quizá sus padres se lo desaconsejaron, no lo sé. Pero seguro que habría sido lo mejor para él. Hubiera tenido una familia de verdad, alguien a quien llamar papá y mamá.

—Así que se puso en contacto con usted; ¿hizo lo mismo con sus hermanos?

—Sí, a los tres nos pareció muy divertido, fue como recibir un regalo inesperado. Y resulta fácil encariñarse con Mats, es una persona inusualmente cálida y conmovedora. Solemos hablar con él al menos un par de veces al mes. El pasado *Midsommar** lo

---

* Celebración del solsticio de verano. La festividad más importante de Suecia. *(N. del T.)*

celebramos aquí, y también vino la familia de Simon. Fue maravilloso. Mamá no supo nada. Se encontraba en el extranjero.

—¿Los tres guardan buena relación con Mats?

—Sí, eso creo, pero Simon es el que mejor se lleva con él. Son tan parecidos que de inmediato congeniaron. Se ven con más frecuencia. Mats vive cerca de Simon, en Söder. Eso es un alivio, ahora que Simon está tan deprimido.

Knutas se quedó un buen rato observando a Mikaela.

Emma se levantó rápidamente de la silla y corrió hacia la mesa. La mujer tenía el rostro morado; se llevó ambas manos a la garganta y respiró con dificultad. Los ojos expresaban un terror infinito y el cuerpo se retorcía entre convulsiones. De pronto se desplomó sobre la hierba.

–¡Socorro! –gritó Emma, con toda la fuerza de sus pulmones–. ¡Socorro! ¡Hay una mujer que necesita ayuda!

–¿Qué pasa?

La joven camarera apareció y se quedó mirando a Emma con expresión pasmada.

–¡Llama a una ambulancia! ¡Venga, deprisa!

La camarera asintió asustada y se fue.

Emma recordaba vagamente el curso de primeros auxilios que recibían todos los profesores, pero de eso hacía muchos años. Puesto que la mujer parecía estar inconsciente, tenía que hacerle la respiración boca a boca. Le apoyó la cabeza ligeramente hacia atrás y se inclinó sobre ella. Le sujetó la nariz con una mano y le abrió la boca con la otra. Al acercar la suya tuvo que retroceder. La cavidad oral de la mujer despedía un hedor que no fue capaz de identificar.

Se sobrepuso al malestar y comenzó a soplar.

La Policía recibió la alarma a las 15.27 y en menos de diez minutos llegó un coche patrulla. El personal de la ambulancia ya había constatado que la mujer estaba muerta y que la joven que le hizo el boca a boca había perdido el conocimiento, así que la llevaban a toda prisa al hospital. Un gran número de policías recibió la orden de dirigirse al café, la unidad canina entre otras. El asesino acababa de abandonar la escena del crimen. Karin y Knutas se encontraban en Estocolmo. Ninguno de ellos respondió al móvil; lo más probable era que estuvieran en el avión de regreso a Visby.

Wittberg y Sohlman llegaron unos minutos después. Wittberg frenó en seco frente a la entrada y ambos se adentraron con paso rápido en el jardín del café. Una camarera pálida y agotada, que apenas aparentaba veinte años, fumaba sentada con una manta sobre los hombros.

—Es horrible; venía mucho por aquí, es una clienta habitual —explicó con voz trémula.

—¿Cómo se llamaba la fallecida? —preguntó Wittberg, mientras Sohlman pasaba raudo a su lado camino de la víctima.

—Veronika Hammar. Suele venir por aquí varias veces a la semana, aunque hacía tiempo que no la veíamos.

Wittberg maldijo. Veronika Hammar...

Se dejó caer en la silla que había junto a la joven. Sacó una libreta y un bolígrafo del bolsillo.

—Cuéntame qué pasó.

—Entró, pidió un café expreso doble y un pastel de zanahoria, y se sentó en la mesa de siempre.

La chica señaló hacia el lugar acordonado al fondo.

—La mesa del cenador; le gustaba sentarse sola. Al rato llegó un hombre y pidió un café y una Ramlösa y poco después, mientras recogía las mesas vi que estaba sentado con ella. Algo más tarde, ella vino a pedirme la llave del aseo.

—¿Reconociste al hombre? —inquirió Wittberg.

—No, no lo había visto antes.

—¿Cómo era?

—Alto, bastante grande, pero no gordo, más bien musculoso. Algo mayor, de unos cuarenta años.

—¿Bigote, barba? ¿Gafas?

—De todo. Y mucho pelo, un poco alborotado.

—¿Color?

—Rubio.

—¿Cómo iba vestido?

—No lo recuerdo bien. Algo azul, creo. Una chaqueta y vaqueros. Nada de particular.

—¿Dijo algo? ¿Oíste su voz?

—No, no dijo nada.

—¿Qué ocurrió después?

—Bueno, no lo sé… Ella fue al baño y regresó con la llave. Luego volvió a sentarse allí. Estaba todo tan tranquilo que entré un momento en la cocina para ayudar a la encargada del bufé frío, después me llamaron por teléfono. Y tras unos minutos, oí que alguien gritaba. Cuando volví a salir, el hombre había desaparecido y Veronika estaba ahí, en el suelo.

Cerró los ojos y agitó la cabeza como si deseara sacudirse los recuerdos.

—¡Ha sido horrible! Una clienta gritó que llamara a una ambulancia. Y eso fue lo que hice. Luego no me atreví a mirar, pero sé que Veronika murió muy rápido. Aunque la otra mujer intentó practicarle la respiración boca a boca. Soplaba y soplaba, pero acabó desplomándose ella. La ambulancia llegó justo después.

—¿Y no sabes quién era la mujer que la ayudó?

—No, nunca la había visto por aquí.

—¿Cómo te llamas?

—Linn.

—¿Puedes quedarte un rato más aquí?

—Sí, de acuerdo.

Wittberg se encaminó hacia Sohlman, que estaba en cuclillas junto al cadáver de la mujer. El inspector de la Científica alzó la mirada hacia su colega.

—Se trata del mismo cabrón, sin duda. Huele.

—¡Joder!

Alguien le dio unos toques en la espalda a Wittberg. Era la camarera joven.

—Este es el bolso de la mujer a la que se llevaron al hospital.

Se lo tendió. Wittberg lo abrió con manos impacientes. Al coger la cartera y ver el carné de la mujer comprendió.

Emma Winarve. La mujer de Johan Berg. Emma Winarve estuvo a punto de perder la vida de forma dramática hacía unos años en Fårö.

Ahora se encontraba de nuevo en apuros.

El móvil sonó en cuanto Knutas lo encendió, después de aterrizar en Visby, mientras se dirigía con Karin a la sala de recogida de equipajes.

Wittberg le describió los dramáticos acontecimientos de las últimas horas. El asesinato de Veronika Hammar había tenido lugar a la misma hora en que embarcaron. Knutas tuvo que sentarse, se quedó sin aliento y sintió una ira creciente. Había intentado convencer en vano al comisario jefe para que dieran prioridad a la vigilancia de Veronika Hammar y pidió que continuara por lo menos durante el fin de semana. Ahora ya era demasiado tarde.

Tomaron un taxi hasta la comisaría.

Unos periodistas estaban reunidos en el exterior, pero no obtuvieron ninguna declaración; pasaron a toda prisa entre la nube de reporteros con la promesa de una rueda de prensa por la tarde. La presión era tan fuerte que tendrían que convocarla.

Habían acordonado el café y la zona colindante y los inspectores de la Policía científica peinaron los alrededores. Interrogaron a los vecinos, así como a varias personas que vieron desaparecer a un hombre calle abajo a la hora de los hechos.

El grupo operativo se reunió en cuanto Knutas y Karin entraron en la comisaría.

Wittberg comenzó relatando los hechos.

—Linn Blomgren, la chica del café, nos ha proporcionado unos datos muy claros. Veronika Hammar llegó sola poco después de las tres. Era una clienta asidua de la cafetería y hacía tiempo que no iba por allí, parecía tensa y apenas intercambió unas palabras con la camarera. Pidió un café y una porción de pastel y se sentó al fondo del jardín. La mesa queda apartada de la vista, pues está rodeada de un cenador de lilas. Unos minutos más tarde apareció el hombre, pidió un café y una Ramlösa y pagó al momento. A continuación se sentó a la mesa de Veronika Hammar.

»En ese momento había seis personas en el café; cuatro clientes, Linn Blomgren y la encargada del bufé frío, que estaba en la cocina. Los clientes eran Veronika Hammar y el hombre desconocido, un hombre mayor que resolvía un crucigrama sentado a otra mesa y Emma Winarve. El hombre del crucigrama fue el primero en abandonar el café. Emma Winarve se quedó allí y fue la única testigo de los hechos. En el preciso instante del asesinato la encargada del bufé frío se encontraba ocupada en la cocina y Linn acababa de recibir una llamada y hablaba por teléfono cuando el desconocido pasó junto a ella y desapareció. Luego oyó unos gritos procedentes del jardín. Emma había descubierto que la señora de la mesa cercana se había desplomado. Linn llamó a una ambulancia.

—¡Maldito cabrón! —exclamó Smittenberg—. Mira que atreverse a...

—Un tipo frío —coincidió Sohlman—. ¿Cómo es posible que elija lugares tan públicos para cometer sus asesinatos? ¿Es uno de esos a los que les excita el riesgo de ser sorprendidos?

—Es muy probable —apuntó Knutas—. Ambos crímenes apuntan en esa línea. Busca atención. Luego volveremos a ese punto. Primero quiero tener todos los datos sobre la mesa. ¿Erik?

Sohlman expuso los rastros hallados en la escena del crimen.

—El asesino ha conseguido su aparente propósito inicial. Según todos los indicios, Veronika Hammar murió asesinada con cianuro, al igual que Viktor Algård. El asesino vertió el veneno en un vaso de Ramlösa que había sobre la mesa. Murió en apenas unos minutos. Emma Winarve intentó realizar la respiración boca a boca e inhaló tantos gases de cianuro que perdió el conocimiento. Su estado es grave y se encuentra en la unidad de cuidados intensivos. El cuerpo de Veronika Hammar ha sido trasladado al depósito de cadáveres y confío en que un forense llegue por la tarde. Hemos tenido problemas para conseguirlo. El hombre entró en el café apenas unos minutos después de Veronika Hammar. Al parecer, se conocían. Quizá hubieran acordado encontrarse o él la siguió hasta allí. Desgraciadamente, a la víctima le retiraron la vigilancia policial. El dispositivo de alarma no le fue de ninguna ayuda en esta ocasión –añadió, irónico.

–No hay huellas directas, aparte del vaso –prosiguió Sohlman–. No hemos encontrado huellas dactilares en la botella de Ramlösa ni en su taza de café. Según la camarera, llevaba puestos unos finos guantes de piel, con pequeños agujeros, como los que se usaban en los años sesenta para conducir, ¿recordáis cómo eran? El asesino estuvo allí sentado unos diez minutos antes de desaparecer sin dejar rastro.

–¿La camarera habló con él? –preguntó Karin.

–No, no dijo ni una palabra. Tenemos una buena descripción del asesino, pero creo que iba disfrazado, así que la cuestión es cuánto podemos sacar en limpio de estos datos –suspiró–. Una cosa sabemos, por lo menos. El asesino es un hombre, la pregunta es de quién se trata.

–Un momento –interrumpió Knutas.

Se puso en pie y desenrolló la pantalla blanca que había al fondo de la sala. Karin, que se encontraba junto al interruptor, apagó la luz. Knutas proyectó una fotografía a través del ordenador. Hasta entonces, tan solo le había mencionado a Wittberg su teoría respecto a quién era el asesino. Nadie más conocía la identidad de la persona a la que buscaban. El silencio que reinaba en la sala se podía palpar.

Un rostro cubrió la pantalla. Era la fotografía de pasaporte de un hombre de unos cuarenta años. Rubio, ojos azules y un rostro expresivo y risueño. Nadie pudo evitar ver el enorme parecido con Veronika Hammar. El hombre aparecía bien afeitado y con el pelo corto. Estaba arreglado y sonreía a la cámara. Nadie diría que aquella fuera la imagen de un doble asesino. Knutas hizo clic y surgió una nueva fotografía, un retrato completamente diferente de la misma persona.

Era del Registro Central de Penados de hacía quince años. Un joven de pelo corto, perilla y gesto agresivo, miraba muy fijo a la cámara lleno de odio. El hombre mostraba dos rostros completamente distintos.

—Este es Mats, el hijo mayor. Según su jefe, hace dos semanas que está en Mallorca. Pero no es cierto. Por la compañía aérea sabemos que Mats no se presentó en el aeropuerto. En cambio, ha deambulado entre Estocolmo y Gotland. Creo que este es el tipo al que buscamos.

Se oyó un murmullo en la sala.

—El hermanastro que creció en familias de acogida —suspiró Smittenberg.

Todas las miradas estaban fijas en el retrato. Knutas les refirió lo que Mikaela Hammar les había contado acerca de Mats Andersson y luego añadió:

—Tiene cuarenta y un años y vive en Södermalm. Veronika dio a luz en el hospital de Visby en 1966. Entonces tenía apenas quince años. Nadie sabe quién es el padre, en la partida de nacimiento consta «padre desconocido». Mats está soltero y sin hijos y trabaja en un taller de galvanizado en el polígono industrial de Länna, en Haninge.

—Un taller de galvanizado; ¿qué diablos es eso? —inquirió Wittberg.

—Tratamiento de superficies de metal. Y según su jefe, en el taller se utiliza un producto concreto: el cianuro potásico.

Knutas hizo una pausa estudiada mientras sus colegas digerían la información.

—Este tipo tiene una vida bastante oscura. Creció en distintas familias de acogida, fue condenado varias veces por malos tratos, ocultación de delitos y hurto. Durante los últimos diez años, al parecer se ha portado bien, su expediente está limpio.

Sohlman echó una ojeada a su reloj.

—Son las siete y cuarto. El asesinato tuvo lugar alrededor de las cuatro. ¿Dónde estará Mats ahora?

—No ha volado desde aquí, o al menos no lo ha hecho con su nombre real —notificó Knutas—. Un barco zarpó de Visby rumbo a Nynäshamn a las cinco y cuarto y tuvo tiempo de sobra para cogerlo; hemos pedido que retengan a todo el pasaje hasta que el barco haya sido registrado. Se organizará un buen jaleo, por supuesto, pero no queda más remedio.

El recuerdo de la caza del asesino del año pasado cruzó por su mente. En esa ocasión, la Policía también tuvo que retener el barco de Gotland, aunque sin éxito, a pesar de que la asesina se encontraba a bordo. Le lanzó una mirada furtiva a Karin. Un escalofrío le recorrió todo el cuerpo. El dilema se hacía presente. ¿Podría realmente cargar con el secreto de Karin? Prosiguió:

—Nuestros compañeros de Estocolmo han registrado su apartamento, pero no había nadie. Iban a buscar también en el apartamento de su hermano Simon, con el que guarda muy buena relación. Además, ambos viven muy cerca, al otro lado de Slussen. La cuestión es dónde se instala cuando viene a Gotland —dijo Knutas—. He pedido a todos los hoteles, pensiones, albergues, casas rurales y cámpings que revisen sus libros de huéspedes. Desgraciadamente, esos datos tardarán un tiempo en estar listos.

—Tiene un hermano en Gotland —señaló Karin—. ¿No podría estar allí?

La llamada llegó mientras Johan y Pia se dirigían al café donde habían asesinado a Veronika Hammar. Cuando este respondió, Pia comprendió al instante que algo grave había sucedido.

El médico le comunicó que Emma se encontraba en la unidad de cuidados intensivos. Su mujer había estado en la cafetería a la que se dirigían. Según le había dicho, tenía que hacer unos encargos, pensó desconcertado.

En ese mismo momento, entraron en la rotonda de Norrgatt y Pia se dirigió hacia Norderport.

—Al hospital —gritó él, todavía con el móvil pegado a la oreja—. ¡Tenemos que ir al hospital!

Pia cambió enseguida de dirección y observó asustada a su compañero.

—¿Qué ha ocurrido?

—Emma está en la UCI. Se hallaba en el café donde asesinaron a Veronika Hammar, intentó socorrerla y ahora está malherida.

Golpeó el interior de la puerta con el puño. ¡Joder, joder, joder!

Pia frenó en seco a la entrada del hospital. El coche emitió un chirrido sobre el asfalto. Mientras Johan salía a toda prisa del coche, gritó a su espalda.

—¡No te preocupes, Johan, se pondrá bien!

Ella misma fue consciente de lo poco convincentes que sonaban sus palabras.

Cuando finalizó la reunión del grupo operativo, Knutas se sentó a su escritorio y marcó el número de Simon Hammar. No obtuvo respuesta. Las señales resonaron en su oído. Suspiró, salió al pasillo y fue a buscar un café a la máquina. Todo estaba en marcha, la Policía había emitido la orden de busca y captura de Mats Andersson. Knutas deliberó sobre los motivos. ¿Tenía tantas ganas de matar a su madre por haberlo abandonado al nacer? ¿Por qué se le ocurría justo ahora, cuando tenía cuarenta y un años?

Pensó en Karin y en su hija. No se podían obviar las similitudes. Al mismo tiempo, existían grandes diferencias. Mats había intentado ponerse en contacto con su madre biológica varias veces, pero ella lo había rechazado. Karin nunca había sabido nada de su hija. Y a él no lo entregaron en adopción sino que vivió en distintas casas de acogida. ¿Qué papel jugaban los nuevos hermanastros en el drama? Volvió a marcar el número de la dirección provisional de Simon en Gamla stan. Estaba a punto de colgar cuando alguien contestó, pero la voz no pertenecía a Simon.

—¿Diga?

—Soy el comisario de homicidios Anders Knutas, busco a Simon Hammar.

—Anders Knutas, ¿qué diablos pasa?

Era imposible no reconocer esa voz profunda y gruñona. Knutas había trabajado en varias ocasiones con el comisario Kurt Fogestam, de la Policía de Estocolmo.

—¡Kurt! Te podría preguntar lo mismo. ¿Por qué responses desde ese número? Tengo que localizar a Simon Hammar, es muy importante.

—Bueno, está aquí —respondió Fogestam con voz afectada—. Pero desgraciadamente llegas tarde. Simon Hammar está muerto.

Knutas se quedó sin palabras.

—La alarma nos llegó hace poco. Cayó desde la ventana del cuarto piso. En Kornhamnstorg, en Gamla stan, la plaza que da a Slussen, ¿la conoces? Ha sido un auténtico caos, el tráfico está colapsado y en el lugar se ha congregado una multitud. No nos ha dado tiempo siquiera a retirar el cadáver. Al parecer, se trata de un asesinato, hay rastros de pelea en el apartamento. Te puedo llamar luego. Pero ¿por qué buscas a Simon Hammar?

—Hace solo unas horas han asesinado a su madre en Gotland. La han envenenado con cianuro, tal y como hicieron con Viktor Algård en el palacio de congresos.

—¡Maldita sea!

Knutas sintió una paralizante sensación de incompetencia al colgar con lentitud el teléfono tras hablar con Kurt Fogestam. La Policía siempre iba un paso por detrás. Por lo visto, Mats Andersson había matado primero a su madre y después, a su hermano. ¿Sabía Simon que él era el asesino y lo amenazó con desenmascararlo? ¿Era esa la razón de que lo hubiera silenciado? Al parecer, el asesinato de Simon ocurrió de forma repentina, en un arrebato de ira. Knutas pensó que si uno planea asesinar a alguien ese no sería el modo adecuado de proceder. En cierta manera, parecía que a Mats Andersson la publicidad le incitaba, pero las circunstancias no eran nada fáciles. Lograr arrastrar a una persona hasta la ventana de un cuarto piso y tirarla a la calle en el centro de Estocolmo sin ser visto debería considerarse una tarea prácticamente imposible. Además, lo más seguro es que Simon opusiera mucha resistencia, era alto y fornido. A no ser que lo hubieran drogado o envenenado. Pero ¿por qué tirarlo por la ventana? ¿No podría haberlo asesinado con cianuro como a los otros dos?

Otra de las cuestiones era cómo había conseguido abandonar el edificio y alejarse del lugar sin que lo detuvieran.

Knutas no dudó un instante que el asesino, voluntariamente, eligiera complicarse la vida. No, el asesinato de Simon tenía que haber ocurrido de forma imprevista.

¿Era posible que la misma persona hubiera cometido los dos asesinatos con apenas unas horas de diferencia? Realizó un rápido cálculo mental. El vuelo entre Estocolmo y Visby apenas duraba treinta minutos, y el taxi entre el aeropuerto de Bromma en Estocolmo y Gamla stan, más o menos lo mismo.

El motivo del asesinato de Simon lo desconcertaba. ¿Estaría Mats pensando en asesinar al resto de hermanos? ¿O acaso ya lo había hecho? Andreas Hammar vivía solo en el campo y podría llevar muerto varios días antes de que alguien descubriera el cuerpo. De repente, a Knutas le embargó una sensación de preocupación.

Se puso en pie y empuñó su arma reglamentaria. Llamó a la puerta de Karin.

—¡Encárgate de lo de Estocolmo! —le gritó a Rylander al salir—. Ocúpate de que envíen protección a la hermana que vive en Vätö, ¡ya!

Permaneció sentado en silencio en el coche mientras Karin conducía hacia el sur a toda velocidad. Mikaela les había dicho que Simon y Mats solían hacerse confidencias. Simon le había contado lo mucho que significaban para él y el apoyo que recibía de Mats. ¿Fueron esas conversaciones las que provocaron el asesinato? Andreas Hammar no respondía al teléfono y la preocupación de Knutas iba en aumento. Sin duda, Mats no habría tenido tiempo de llegar hasta allí después del asesinato, pero sí pudo hacerlo mucho antes.

Karin conducía tan rápido en dirección a Hablingbo que las ruedas chirriaban al tomar las curvas. Llevaban la sirena conectada y los coches se apartaban obedientes. El teléfono de Knutas sonó. Era Fogestam.

—Oye, al parecer, no se trata de un asesinato. Eso pensamos al principio, porque había sillas tiradas por el suelo. Pero hemos encontrado una carta de despedida. Además, diferentes testigos de confianza sin relación entre ellos aseguran que vieron saltar a Simon Hammar por su cuenta.

—¿Ah, sí? ¿Qué clase de carta habéis encontrado?

—Se trata de cuatro sobres. Se hallaban en la repisa de la chimenea y están dirigidos a distintas personas.

—¿A quiénes?

—A Veronika, Katrina, Daniel y Mats.

—¿Nos las podrías enviar por fax tan pronto como sea posible? ¿Las has leído?

—Sí, por encima. Dice que siente hacer lo que hace, pero que no ve otra salida. La carta a su madre es bastante desagradable; al parecer, le echa toda la culpa de que no desee seguir viviendo. Dice que es tan absorbente que ya no aguanta más.

—Y ahora, ella también está muerta. ¡Maldita sea! Murieron casi a la misma hora.

—Sí, es la leche. Tengo que seguir con esto. Ahora ya sabes cómo están las cosas.

Ya había anochecido cuando Karin frenó junto a la granja de Hablingbo. El jardín se hallaba desierto, no había perros que ladraran, ni nadie. La camioneta roja que Andreas condujo la última vez que lo visitaron no estaba. Knutas miró el reloj. Eran las diez y cuarto.

Se acercaron con cuidado a la casa. Parecía desierta; ninguna luz encendida. Knutas subió de puntillas al porche y probó la puerta. No estaba cerrada con llave. Recorrieron las habitaciones despacio, una tras otra, con las pistolas desenfundadas, pero pronto constataron que no había nadie en el interior de la casa.

La gravilla crujía bajo sus pies cuando registraron los alrededores del edificio principal. Mientras se hallaban en la granja llegaron más coches patrulla.

Los policías se reunieron en el jardín y se dividieron en grupos. Knutas y Karin subieron al coche para conducir hasta la dehesa y el redil donde interrogaron a Andreas mientras pesaba el ganado. Quizá se encontrara allí, y puede que Mats también. Knutas esperaba de corazón que no fuera demasiado tarde.

Condujeron por el oscuro camino hacia Havdhem. No había farolas y en aquella zona se levantaban pocas casas. Se vislumbraba la luz de alguna que otra granja en la distancia. Circularon en silencio, como si ambos temieran lo peor.

—¿Recuerdas dónde hay que girar? —preguntó Knutas.

—Sí, aquí cerca.

Karin dobló en un estrecho sendero de grava. No llegaron a recorrer cien metros antes de que una multitud de ovejas les bloqueara el paso. Karin se vio obligada a detenerse.

—¿Qué diablos es esto? —suspiró.

Aparecieron más y más ovejas. Balaban con intensidad. El sonido creció hasta convertirse en una desagradable cacofonía. Parecían fantasmas bajo la luz de los faros del coche, con las bocas abiertas y sus miradas mortecinas. Karin tocó el claxon y apretó el acelerador, pero los animales se negaban a apartarse. Rodearon primero el vehículo y luego se apretaron contra él como si fuera su única protección.

—¿Y ahora qué hacemos?

—No debemos de estar muy lejos del redil —dijo Knutas—. Tendremos que dejar el coche aquí y seguir a pie.

Johan estaba sentado en la sala de espera de la unidad de cuidados intensivos del hospital de Visby; no le permitieron entrar a ver a Emma. Una enfermera le ofreció algo de beber. Apenas fue capaz de responder. Tenía el cuerpo aturdido, la cabeza vacía. Sentado allí, inmóvil y con la vista clavada en el suelo, no quería moverse hasta que salieran y le dijeran que Emma se recuperaría.

De pronto se abrió la puerta de la sala de espera. Johan no se molestó siquiera en levantar la cabeza para ver quién entraba.

Alguien se sentó a su lado.

—¿Cómo se encuentra?

Reconoció la voz. No había esperado encontrarlo allí; se trataba de Olle, el exmarido de Emma.

—No lo sé —respondió—. No sé nada.

El reloj emitía su rítmico tic-tac desde la pared. Los minutos se arrastraban. Los dos hombres, padres de los hijos de Emma, permanecieron sentados en silencio y esperaron, sin saber qué.

Olle tamborileaba con los dedos sobre la pierna. Johan tenía la vista fija en sus manos venosas, el mismo dedo anular que durante años llevó la alianza de Emma, las mismas manos que la abrazaron, que cambiaron los pañales de dos de sus hijos, hicieron la comida y repararon la casa de Roma. Antes, cuando pensaba en esas cosas podía sentirse enfadado o celoso. Ahora, en cambio, experimentó una extraña sensación de afinidad. Olle y él tenían a Emma en común. Nunca podría borrar su historia pasada. ¿Y por qué tendría que hacerlo? Se le aparecieron los rostros de Sara y Filip. Allí estaba sentado su padre, pálido y con la cabeza entre las manos. Johan cerró los ojos.

Ninguno de los dos dijo nada.

Cuerpos por todas partes, blancos, lanosos, amplios, cálidos. Esos ojos, centenares de ellos con la vista clavada en él. Miradas vacías. No obstante, una sensación de seguridad. Se encontraban agrupados en una esquina del redil, la más cercana a la casa.

Había llegado en moto desde la ciudad después de abandonar el café y a la mujer de la falsa sonrisa, el ángel negro, ahogado entre espasmos letales. Así era como la llamaba en su mente: ángel negro. Cuando era pequeño pensaba en ella como un ángel bello y brillante que un día vendría a rescatarlo. Pero no resultó ser como él creía. Era oscura, malvada, castradora. Había hecho lo correcto.

El alivio le produjo un vértigo que casi le hizo salirse de la carretera. Se rehízo. Tenía que alejarse, deprisa. Se dirigía a casa. Para él, «casa» era el hogar de las tres únicas personas que se habían preocupado por él de verdad. Le habían abierto los brazos, comprendido, dado la bienvenida. Sus tres hermanastros. La sensación era nueva y cambió radicalmente su forma de ver el mundo. De repente, encontró una razón para vivir.

Deseaba hablar con Simon, pero primero se lo contaría a Andreas, ya que se encontraba cerca. Sencillamente, no podía contenerse. Reventaría si no podía compartir su hazaña con alguien.

Por primera vez en la vida se sentía un hombre de provecho.

Pasó de largo la terminal marítima con los grandes barcos blancos, uno de los cuales cogería más tarde, por la noche.

Antes de marcharse, deseaba ver a sus hermanos una vez más. Podría pasar mucho tiempo hasta que tuviera otra oportunidad. Al pensar en ellos, se sintió conmovido. Andreas era el fuerte, seguro de sí mismo, con el que siempre podría contar. Con Mikaela sintió una gran afinidad. Se abrió a él, le habló de sus problemas con la comida y de cómo se autolesionaba. De las dificultades que tuvo en sus relaciones, de que nunca se atrevió a confiar en nadie. Sin embargo, al final le fueron bien las cosas, encontró a un hombre que la quería por encima de todo.

Pero con quien tenía una relación más cercana era con Simon. Desde el primer momento sintió una afinidad especial con su hermano pequeño. Formaban un buen equipo. Habían hablado mucho. Al principio fue Simon quien lo escuchó, quien comprendió a la perfección a qué se refería. Se identificó con su historia, lo ayudó y apoyó. Escuchó toda la mierda que había guardado en su interior durante tantos años. De pronto, ya no necesitaba cargar él solo con todo el peso. Podía compartirlo con alguien; el alivio fue indescriptible. Había encontrado a su familia.

Después tuvo lugar el descalabro con Katrina y los papeles se trocaron. Le sorprendió la dura infancia de Simon. Completamente solo, sin la ayuda de nadie. Se sintió impresionado. Lo vulnerables y aislados que habían estado sus tres hermanos, a pesar de tener una madre, una familia. La pena lo extenuó. Luego la rabia se apoderó de él. Él era quien tenía que arreglar las cosas. Todo tenía un significado. Salvaría a Simon, que se encontraba sumido en una profunda depresión.

Le desesperaban las conversaciones que mantenían con regularidad. Para conseguir que su hermano saliera del apartamento donde se había atrincherado, exigió que se encontraran en su casa para hablar por lo menos una vez a la semana. A medida que conocía mejor la imagen de su madre, germinaba un odio cada vez mayor en su interior. Cada día que pasaba, su deseo de venganza crecía.

Vio cómo se desmoronaba, pedazo a pedazo, su hermano pequeño al que acababa de conocer. Simon era el único que aún no había conseguido liberarse. Cuanto más tiempo pasaba, y cuanto más se alargaban las conversaciones, más convencido estaba de ello. Solo había una manera de liberarlo. Proporcionarle los medios para disfrutar la vida a la que tenía derecho. Vio las similitudes entre ellos. Tenían un nudo en lo más profundo de su corazón. Un escollo que les impedía vivir. Él mismo tenía cuarenta y un años y nunca había conseguido mantener una relación duradera.

La necesidad de ayudar a Simon se tornó acuciante.

Al mismo tiempo, el resto de hermanos comenzó a insinuar que Simon no deseaba seguir viviendo, y el proceso se aceleró aún más.

Inspiró hondo y expulsó despacio el aire por la nariz.

Ahora las cosas cambiarían. Gracias al cariño de sus tres hermanos, tuvo la certeza de que, a pesar de todo, él valía algo, de que también el destino tenía algo reservado para él.

Al fin comenzaría la verdadera vida. Había salvado a su hermano, se había puesto al día consigo mismo. Aguzó el oído por si oía sirenas, pero no percibió ninguna. No se acercaba ningún coche policial. Ya no tenía miedo.

Al llegar a la granja, aparcó la moto y se acercó a la casa con paso rápido. Llamó a la puerta. Nadie respondió; la puerta estaba cerrada con llave. No había perros en el jardín y no oyó ladridos en el interior de la casa. Tampoco vio el coche de Andreas. Solo podía estar en un lugar.

Se subió a la moto y arrancó con tanto ímpetu que la grava chirrió.

Knutas y Karin avanzaron en la oscuridad. Las ovejas los siguieron un trecho, pero pronto se rindieron; lo más probable es que comprendieran que por mucho ruido que provocaran no recibirían comida alguna. Alguien debía de haberlas soltado, voluntariamente o por error.

Se apresuraron a través de campos de cultivo y prados. La oscuridad les impedía avanzar deprisa. El suelo era irregular y estaba repleto de piedras y tocones; Knutas ya había tropezado varias veces. Karin sentía el corazón desbocado en su pecho. Los acontecimientos de los últimos días pasaron por su cabeza mientras corrían. Tres rostros se hicieron patentes: Andreas, Mikaela y Simon, cada uno con su propia pena y soledad. Y luego Mats, el hombre de las dos caras que fue entregado a unos desconocidos, al igual que sucedió con su propia hija, a quien solo vio unos minutos. Pero esos minutos habían marcado su vida, todo lo que hizo a partir de entonces. Corrió cuanto pudo. Lo salvaría, tenía que salvarlo antes de que cometiera alguna locura. Tenían que llegar a tiempo.

Entonces vieron la luz del establo de las ovejas. Gracias a Dios. Se encontraban cerca. El lugar era un edificio alargado de madera con el tejado de chapa. Medía por lo menos cien metros de longitud y estaba dividido en departamentos donde las ovejas podían parir tranquilas. El tiempo de los partos había finalizado y las ovejas, machos y hembras, pastaban en el prado.

Unos corderos encerrados tras una cerca balaron cuando pasaron junto a ellos. Tanto la camioneta roja como la moto se encontraban aparcadas junto al establo. La puerta estaba entornada. El comisario alargó la mano e intentó encender la luz. No pasó nada. La bombilla estaba rota. La puerta chirrió cuando entraron. Los acompañó la luz del tejado que se filtraba a través de las ventanas polvorientas. No se oía ni un sonido, excepto algún que otro balido proveniente del exterior.

Se movieron despacio siguiendo la hilera de departamentos. De pronto, Knutas exclamó:

—¡Hay alguien aquí! ¡Ven!

En uno de los departamentos, entre los fardos de paja, se vislumbraba un hombre caído de espaldas sobre el pajizo.

—¡Maldita sea! —gruñó Karin—. Llegamos demasiado tarde.

Se indignó al sentir sus propias lágrimas. «Para, no seas ridícula. Ni siquiera conocías a estas personas.»

Knutas abrió despacio la puerta y entró. Resopló al ver el rostro. No se trataba de Andreas.

Johan no sabía cuánto tiempo llevaba en la sala de espera cuando al fin la puerta se abrió. Vio una bata blanca de médico, un par de gafas, un rostro serio. Johan tenía la vista nublada. Mientras observaba al médico que se acercaba hacia ellos desde el extremo del largo pasillo, otras imágenes surgieron en su mente. Fragmentos de su vida junto a Emma.

La mano que apretaba con fuerza la suya mientras daba a luz a Elin; su sonrisa cuando le dio el «sí» en la iglesia; su mirada febril cuando hacían el amor; la discusión durante el desayuno hacía unos días; Emma enfundada en su bata blanca con la cabeza envuelta en una toalla al salir del baño, mientras preparaba café en la cocina.

El médico se acercó a ellos. Johan no se atrevió a mirarlo.

—Lo peor ya ha pasado. Su mujer se encuentra fuera de peligro y se pondrá bien. El bebé, también.

—¿El bebé? —susurró Johan.

Knutas permanecía completamente inmóvil e intentaba concentrarse. Reconoció a Mats por las fotografías. Ahora yacía ahí, con la vista clavada en el techo. Tenía la mirada vacía y el cuerpo postrado, pero aún respiraba.

—Mats, me llamo Anders Knutas, soy policía. Quedas detenido como sospechoso de los asesinatos de Viktor Algård y Veronika Hammar. ¿Puedes oírme?

Se acuclilló y le sacudió los hombros. No obtuvo ninguna reacción. El hombre parecía totalmente ausente.

Enseguida aparecieron dos personas en la puerta con linternas en la mano. Se detuvieron en seco, sorprendidas al ver a los dos policías. Knutas se extrañó al verlas y dirigió la mirada de uno a otra. La escena no le cuadraba. El pastor Andreas Hammar y Pia Lilja, la cámara de televisión, iban de la mano. Para colmo de males, su compañera Karin se encontraba allí, sentada en el suelo con la mirada vidriosa y perdida. Como si hubiera sufrido un desvanecimiento.

De pronto, el hombre que estaba en el suelo giró la cabeza y miró a Knutas. El rostro del caído reflejaba tal dolor que el policía casi retrocedió. Mats alzó despacio un brazo; sujetaba un objeto en la mano. Durante una décima de segundo, el cerebro de Knutas registró la sensación de peligro. ¿Era un arma? Al instante siguiente constató para su tranquilidad que no, que se trataba de un teléfono móvil. La voz de Mats temblaba cuando, entre suspiros, formuló una escueta pregunta:

—¿Es esto cierto?

Desconcertado, Knutas intentó juntar las letras que aparecían en la pequeña pantalla iluminada. Era un mensaje corto, aunque abrumador:

«Simon ha muerto. Llámame. Mikaela».

Knutas observaba el aparcamiento mojado por la lluvia desde la ventana de su despacho. Cargó la pipa y pensó en los dramáticos acontecimientos de los últimos días.

Desde el principio, el caso le había afectado de una forma inusualmente intensa. Quizá se debiera a que le había hecho meditar seriamente sobre su papel de padre. Poco antes de los asesinatos tuvo lugar la agresión a Alexander Almlöv. Nils, su propio hijo, había sido testigo de los hechos y no se atrevió a contárselo a su padre policía, o no quiso hacerlo.

Durante las últimas semanas, Knutas había luchado casi tanto por solucionar esta cuestión como por descifrar quién era el asesino.

El destino de Mats Andersson había sido trágico de principio a fin. Deseó salvar de la perdición a su recién hallado y querido hermano asesinando a su madre, pero Simon se anticipó. Knutas comprendió el desconcierto y la parálisis que Mats debió de sentir al conocer la noticia de la muerte de su hermano. Todo había sido en vano. Su plan, madurado durante meses, había fracasado.

Mats acabó relatando todos los detalles de la historia, sus insistentes intentos por salvar a su hermano del influjo de su madre. Al final no encontró otra salida que matar a la madre, destruirla antes de que ella destruyera a su familia. A su vez, Simon había intentado desde el principio salvarla, hacerla feliz, arreglarle la vida. Una tarea que resultaría imposible. Ambos se habían convertido a sí mismos en ángeles salvadores y todo había acabado en desastre.

Una persona no puede salvar a otra, pensó Knutas con amargura. Cada persona tiene que salvarse a sí misma.

Sin embargo, resultaba extraño que les hubiera ido tan bien a los hijos de Veronika Hammar, a pesar de las difíciles condiciones en las que crecieron y de tener una madre extremadamente absorbente y desagradable. Por lo menos, Andreas y Mikaela habían conseguido llevar una existencia que funcionaba y parecían sentirse relativamente bien.

Y tenían la capacidad de amar. ¿La habían adquirido de algún otro o resultaba ser una fuerza de la vida misma?

Sus cavilaciones se interrumpieron cuando Karin llamó a la puerta.

—Pasa.

Se sentó en el sofá para las visitas. Knutas sintió que tenía algo especial que decirle y se acomodó frente a ella.

—¿Qué tal?

—Bien, gracias.

Ella esbozó una sonrisa; vio que sus ojos habían recuperado su viejo brillo habitual. Eso le satisfizo.

—He decidido buscar a mi hija Lydia.

Knutas guardó silencio. Se puso en pie, se acercó a ella y la abrazó. Ella se acurrucó en su regazo y permaneció así un buen rato mientras él le acariciaba el pelo.

Había pensado una y otra vez en cómo manejar la confesión que Karin le había hecho en Estocolmo. No sabía qué hacer y no podía pedirle consejo a nadie.

Karin había dejado escapar a una doble asesina. Quizá estuviera loca. Quizá él luego se arrepintiese de la decisión que estaba a punto de tomar.

Sin embargo, en ese instante supo que nunca la podría denunciar.

Nunca jamás.

Epílogo

La luz grisácca del apartamento pesa tanto como la ciudad que tengo a mis pies. La eterna circulación de Slussen y su incesante marea de coches siguen obstinados en avanzar en todas direcciones, como venas de un corazón palpitante. Luego se esparcen por el apestoso cuerpo: Estocolmo.

Ha llegado la hora. Me siento más cerca que nunca de mí mismo. Antes vivía a través de otros, para otros, para que los demás se sintieran a gusto. Intenté dar la talla. Y fracasé.

Desde el principio he representado un papel.

Me embarga un enorme cansancio. No necesito nada. Ni siquiera luchar. Ni tampoco padecer. Pronto todo habrá acabado. Observo la ciudad desde arriba. Soy un extraño ante la vida, ante todo lo que sucede. No tengo fuerzas para seguir formando parte de esto.

Tuve un sueño. Poder vivir mi vida como cualquier persona. Trabajar, viajar, experimentar. Dar y recibir amor. Relacionarme, tener experiencias, conocer gente nueva y crecer. Pensar en un futuro, en una familia, en la seguridad y el amor.

Todo eso ya no existe. No era para mí. Tuve un hijo al que amo. Espero que él pueda hacer realidad todos mis deseos. Que tenga una buena vida.

Mi instante en el mundo ha acabado. Sol, viento, nieve, lluvia, nunca más volveré a vivir los cambios del tiempo. Nunca volveré a oír el silbido de la tormenta en el mar. Ni volveré tampoco a ver amanecer.

Dentro de nada se hará de noche para siempre.

Deseo que la oscuridad me abrace. Pienso en la muerte como un enorme y cálido abrazo de mujer. Quizá sea así y regresemos al lugar donde todo comenzó. Al cuerpo de nuestra madre, al útero, a la suave, bamboleante y silenciosa oscuridad, ignorantes de lo que nos espera.

Quizá sea así.

Tomo las fotografías de Katrina y Daniel y las beso con cariño. Cuando muera, llevaré cogidos de la mano a mis seres queridos.

Así no estaré solo.

Agradecimientos

Esta historia es pura ficción. Cualquier parecido entre los personajes de la novela y la realidad es mera coincidencia. De vez en cuando me he tomado la licencia artística de cambiar dicha realidad para beneficio de la narración. Es el caso, entre otros, de la forma en que Sveriges Television (SVT, televisión estatal sueca) cubre las noticias de Gotland. En el libro, el telediario se dirige desde Estocolmo. Mis respetos para el programa de *Noticias regionales* Östnytt de SVT, que cuenta con equipos permanentes radicados en Visby.

Los parajes que aparecen en el libro se describen como son en realidad, con algunas excepciones.

Me hago responsable de cualquier error que haya podido incluir en la novela.

Antes de nada, quiero dar las gracias a mi marido, el periodista Cenneth Niklasson, mi gran apoyo.

Muchas gracias también a:

Magnus Frank, comisario criminal de la Policía de Visby
Johan Gardelius, comisario de la Policía científica de Visby
Ulf Åsgård, psiquiatra
Martin Csatlos, del Instituto Anatómico Forense de Solna
Lena Allerstam, periodista de SVT
Mian Lodalen, escritora y periodista
Anita Forsberg, pastora de ovejas en Havdhem
Nina Pettersson, coordinadora de conferencias en Wisby Strand
Sara Hullegård, jefa de mercado en Wisby Strand.

También agradezco su aportación a todas las personas que me ayudaron con el libro en la editorial Albert Bonniers Förlag; en particular, a mi editor, Jonas Axellsson, y a mi redactora, Ulrika Åkerlund. Sois inestimables.

Asimismo, deseo darles las gracias a mi agente Bengt Nordin y a Anna Rytterholm, de Nordin Agency.

Gracias también a Sofia Scheutz, la diseñadora de mis libros, por la nueva y atractiva cubierta.

Y, por supuesto, a mis hijos Rebecka y Sebastian; mis grandes corazones.

OTROS TÍTULOS DE LA SERIE DE GOTLAND

NADIE LO HA VISTO

Una novela de suspense en la idílica isla de Gotland.

NADIE LO HA OÍDO

Una auténtica novela negra sueca, apasionante, violenta y escrita con sensibilidad.

NADIE LO CONOCE

Asesinatos en serie en la isla de Gotland, un nuevo caso del comisario Knutas y el periodista Johan Berg.

EL ARTE DEL ASESINO

El cuarto caso de Anders Knutas y Johan Berg, esta vez en el turbio mundo artístico sueco.

UN INQUIETANTE AMANECER

El comisario Knutas sobre la pista de una oscura historia de venganza.